Birgit Vanderbeke
Das lässt sich ändern

Zu diesem Buch

Natürlich war Adam Czupek nicht der Richtige für sie. Ein Mann, der mit den Händen arbeitete, einer, der Sprache für unwichtig hielt. Mit so einem Mann konnte man sich nicht sehen lassen, viel weniger noch sein Leben mit ihm verbringen. Dachten ihre Eltern. Aber was wussten sie, deren Ehe längst am Ende war, schon von der Liebe. Was wussten sie von Adam? Er baute Drachen für die Kinder, die sie bekamen, fand eine größere Wohnung. Das Leben wurde zum Abenteuer, als sie rauszogen aufs Land. Und als sie von Bauer Holzapfel die Streuobstwiese übernahmen, hatte Adam schon längst einen Plan, wohin das alles führen sollte.

Birgit Vanderbeke, geboren 1956 im brandenburgischen Dahme, lebt im Süden Frankreichs. Für »Das Muschelessen« wurde sie 1990 mit dem Ingeborg-Bachmann-Preis ausgezeichnet. 1997 erhielt sie den Kranichsteiner Literaturpreis, 1999 den Solothurner Literaturpreis für ihr erzählerisches Gesamtwerk sowie den Roswitha-Preis, 2002 wurde ihr der Hans-Fallada-Preis verliehen, 2007 erhielt sie die Brüder-Grimm-Professur an der Kasseler Universität. Zuletzt erschien ihr Roman »Die Frau mit dem Hund«.

Birgit Vanderbeke

Das lässt sich ändern

Roman

Piper München Zürich

Mehr über unsere Autoren und Bücher:
www.piper.de

Von Birgit Vanderbeke liegen bei Piper vor:
Das lässt sich ändern
Das Muschelessen
Friedliche Zeiten
Gebrauchsanweisung für Südfrankreich

MIX
Papier aus verantwor-
tungsvollen Quellen
FSC® C083411

Ungekürzte Taschenbuchausgabe
Juni 2012
© 2011 Piper Verlag GmbH, München
Umschlaggestaltung: Kornelia Rumberg, www.rumbergdesign.de,
nach einer Vorlage von R.M.E Roland Eschlbeck und Sabine Hanel
Umschlagmotiv: plainpicture / Narratives
Satz: Kösel, Krugzell
Gesetzt aus der Caslon 540
Papier: Munken Print von Arctic Paper Munkedals AB, Schweden
Druck und Bindung: CPI – Clausen & Bosse, Leck
Printed in Germany   ISBN 978-3-492-27476-0

wir schleudern ins all unsern amoklauf
das hirn zerstäubt – der schädel blinkt
ein grauer enkel hebt ihn auf
geht an den bach und trinkt

Christa Reinig

Ich weiß nie ganz genau, ob Adam Czupek meine Rettung oder mein Verhängnis ist oder womöglich beides.

Sicher ist, dass es mich ziemlich aus der Kurve getragen hat, als ich ihn kennenlernte. Peng. Ein Knall, ein Krach, ein Beben, und von da an ist es eigentlich nicht mehr geradeaus gegangen.

Adam war schon immer draußen. Draußensein ist gefährlich, aber Adam kannte es nicht anders, und ich hatte keine Ahnung, dass ich drinnen gewesen war, bis ich Adam begegnete.

Wenn du in Deutschland fünf Kinder hast, bist du draußen, sagte er, bevor er mich seiner Familie vorstellte. Er war das dritte. Seine Mutter war durchgeknallt, als das fünfte Kind zwei Jahre alt war, ein- bis zweimal im Jahr hieß das Klapse. Sich mit Mandrax zudröhnen lassen.

Draußensein bedeutet, dass du nicht so einfach ins Gymnasium kannst, hatte mir Adam erzählt.

Ich war einfach aufs Gymnasium gekommen und hatte nicht gewusst, dass das mit meinen Eltern zu tun hatte, vielmehr mit meinem Vater, der in seiner Firma ein hohes Tier war. Big Boss, sagten die Leute, die unter ihm arbeiten mussten. Alle hatten Angst vor ihm, wir auch.

In guten Häusern kann es zugehen wie in der Hölle, trotzdem war ich eine Tochter aus gutem Haus. Damit war ich erst mal drinnen und hatte keine Ahnung davon, dass es ein Draußen überhaupt gab.

Adam hat einen IQ um die 140, je nach Tagesverfassung, kann auch schon mal auf 138 sacken. Die fünfte Klasse hat er erst in der Hauptschule abgesessen, bevor sie ihn in die Realschule gelassen haben, und bevor er von dort aufs Gymnasium kam, war noch eine Ehrenrunde fällig gewesen.

Sein Vater war ein kleiner Beamter, nicht sehr helle, Sachbearbeiter für Falschgeld und beschädigte Scheine bei der Bundesbank. Er war nach dem Krieg im falschen Leben gelandet, vielleicht wäre er lieber schwul gewesen, aber Schwulsein war nicht so leicht in den Fünfzigerjahren. Als ich ihn kennenlernte, waren wir in den Achtzigerjahren, da hatte er schon über dreißig Jahre lang täglich vermoderte Blüten und Scheine gezählt.

Er stand morgens als Erster auf und machte Kaffee, und während er Kaffee machte, fluchte er durch die Küche, dass alle im Haus es hören konnten.

Das Haus war für sieben Personen zu klein. Es war dunkel, überheizt und vollgestopft mit Sachen, die auf den ersten Blick keinen Zusammenhang hatten, und es roch muffig. Adam wohnte mit seinem Bruder in der Garage.

Adams Bruder hat ein sensationelles Gedächtnis

für Zahlen. Überhaupt ein sensationelles Gedächtnis für nutzloses Zeug. Die Börsenkurse von vor drei Jahren, die technischen Daten des Opel GT. Er wäre gern zum Grenzschutz gegangen, am liebsten zur GSG 9, aber natürlich fiel er bei der Einstellung durch, weil seine Mutter aktenkundig durchgeknallt war. Nach der Hauptschule fand er einen Job als Kopierer und blieb in der Garage wohnen, bis erst der Vater und zuletzt auch seine Mutter gestorben waren. Da war er knapp fünfzig. Adams Mutter hatte eine sensationelle Begabung für Sprache. Ihre Sätze waren kompliziert und kunstvoll verschachtelt. Wenn ich ihr zuhörte, dachte ich, so einen Satzbau kann sich doch keiner merken; oft war ich sicher, jetzt hat sie den Faden verloren, aber immer kam sie mit dem richtigen Verb hinten aus ihrem endlosen Satz wieder raus. So weit war alles wunderschön und in Ordnung, nur hatten die Sätze keinen erkennbaren Sinn. Es kamen der Krieg, die Russen, die Flucht darin vor, Frauen, die mit schlohweißem Haar aus dem Moor zurückgekehrt waren, Bahnhöfe, Güterzüge, es ging ums Verhungern und ums Erfrieren, um Gewalt, und zuletzt wurde es immer obszön. Grammatisch korrekt, aber dada.

Deshalb glaubte Adam, als ich ihn kennenlernte, nicht an Sprache.

Ich glaubte daran.

In den ersten Jahren saßen wir oft bis nachts um vier oder fünf in der Küche und stritten uns darüber, ob Sprechen etwas bringt. Adam fand, es bringe nicht viel, aber nach einer Zeit hatte er sich daran gewöhnt, dass wir es machten.

Als ich Adam meinen Eltern vorstellte, war er zwanzig, und es war von vornherein klar, dass das danebengehen würde. Adam roch nach Werkstatt, nach Holz, nach Metall und nach Arbeit. Er hatte schon damals Hände, an denen der Dreck festgewachsen war; das war mit Seife nicht abzukriegen.

Mein Vater las Zeitung und überließ meiner Mutter die Inquisition, was macht denn Ihr Vater beruflich und so weiter, und als sie damit durch war, holte sie aus einer Kirschholzschublade einen Bilderrahmen, der ihr kürzlich runtergefallen und aus dem Leim gegangen war. Ob Adam so freundlich wäre, sich den mal anzuschauen. Adam war so freundlich, und als der teure Rahmen mitsamt dem Aquarell dann wieder an der Wand hing, sagte meine Mutter zu mir den Satz, der die ganzen Jahre gesessen hat und bis heute sitzt.

Das können sie, solche Leute.

Sie sagte das leichthin, als wäre Adam gar nicht im Raum.

Ich dachte, Adam würde ihr an die Gurgel gehen. Vielleicht hoffte ich, dass er ihr an die Gurgel gehen würde, aber er blieb ganz ruhig.

Das will ich doch meinen, sagte er.

Mir wurde erst vor Scham und dann vor Wut glühend heiß, aber dann sah ich, wie gelassen Adam zwischen den geschmackvollen Kirschholzmöbeln meiner Mutter in diesem hellen, großen Zimmer stand, das für ihn eine fremde Welt sein musste, und sich von einer wildfremden Frau beleidigen ließ, der er nichts weiter getan hatte, als ihr freundlicherweise einen Bilderrahmen wieder ganz zu machen. Diese Frau hatte ihm soeben zu verstehen gegeben, dass sie ihm niemals eine Chance geben, sondern alles daransetzen würde, ihre Tochter von ihm wegzugraulen, weil solche Leute wie Adam Czupek für sie nicht infrage kamen.

Bevor man einen Fluch ausspricht, muss man sich innerlich von glühend heiß bis auf null abgekühlt haben; ich wartete, bis ich weit unter null und innerlich ganz vereist war. Dann sagte ich, du wirst noch staunen, was solche Leute alles können. Ich sagte es ganz leise, aber sie hörten es alle drei.

Damit war ich noch nicht draußen, aber auf dem besten Weg dahin. Auf dem Weg zu Adam.

Meine Eltern hatten noch von früher her alles von Bertolt Brecht und dachten, dass Brecht zur Bildung und Kultur gehört und sie ihn deshalb gut finden müssten, nicht so gut natürlich wie die Festspiele in Bayreuth, zu denen sie jedes Jahr fuhren, aber immerhin doch ganz gut, weil er damals noch zur Kultur gehörte, und als ich den Tisch fürs Kaffeetrinken deckte, fing ich an, die Ballade von der Hanna Cash zu summen. Sie kamen sich näher zwischen Wild und Fisch, sie gingen vereint durchs Leben, sie hatten kein Bett, und sie hatten keinen Tisch; ich sang den Text nicht mit, sondern summte nur die Melodie, aber meine Eltern kannten die Ballade natürlich, es blieb die Hanna Cash, mein Kind, bei ihrem lieben Mann; und meine Eltern hörten, dass ich so frei sein würde, mir Adam mitsamt dem Dreck an seinen Händen von ihnen nicht austreiben zu lassen, auch wenn das Leben möglicherweise schwer und gefährlich würde, und es ist ganz entschieden etwas anderes, die Ballade gut zu finden, solange sie vom Plattenspieler kommt und Kultur ist, Lotte Lenia singt Bertolt Brecht, aber wenn die eigene Tochter einem solche Leute wie Adam Czupek ins Haus schleppt, merkt man, dass Kultur etwas anderes ist als das wirkliche Leben, in dem ein künftiger Schwiegersohn bitte im Besitz von Tisch, Bett und Bausparvertrag sein und darüber hinaus nach Rasierwasser duftend, mit sauberen Fingernägeln und in Anzug und Krawatte zur Vorstellung erscheinen sollte, familiär gut gepolstert und mit Vitamin B versorgt.

Adam sagt, das fing in den Achtzigern an, die Verdummung, Ende der Siebziger haben wir all das gewusst, was inzwischen läuft, das ganze Elendsprogramm; tote Erde, wohltätige Speisung der Armen, an den Tropf mit den Alten und Armen, und heute tut die Welt, als wäre sie überrascht, gerade so, als hätte man Ende der Siebziger nicht gewusst, dass es den Bach runtergehen würde.

So gesehen, hat er natürlich recht, dass das viele Sprechen nichts gebracht hat, es geht ums Verhungern, Erfrieren, Gewalt und obszönes Dada; Adam jedenfalls hat, noch bevor er zwanzig war, gewusst, dass es den Bach runterrauschen würde, aber vielleicht hing das damit zusammen, dass er schon draußen gewesen war, als die meisten noch dachten, wer draußen ist, ist selber schuld.

Von draußen sieht man manches klarer, als wenn man drinnen ist, wo man die Welt schön nacheinander erst von den Teletubbies, dann von der Maus und schließlich vom Morgenmagazin erklärt bekommt, und Adam war wirklich draußen. Den haben sie gar nicht erst zum Bund eingezogen, nicht einmal gemustert.

Ich jedenfalls war frischgebackene Linguistin und würde Logopädin werden, und wenn ich nicht an Sprache geglaubt hätte, hätte ich meinen Beruf gleich an den Nagel hängen können, bevor er noch richtig angefangen hatte.

Ich kannte zu der Zeit eine Menge Leute, die gut gepolstert waren, und nach und nach kamen mir alle abhanden, alle außer Fritzi Ott, obwohl ich nicht wollte, dass sie mir abhandenkommen, weil ich manche von ihnen mochte, einige sogar sehr, aber ich war auf dem Weg zu Adam. Das war die Zeit, als alle irgendwie links waren und sich am Samstag zum Kicken und Kiffen im Ostpark trafen, Junge Union war ein Schimpfwort, es stand für Kurzhaarschnitt vom Friseur, für Pomade und Pickel, und als Kohl gewählt wurde, wollte es keiner glauben.

Es wurden Häuser besetzt und Arbeiten über das Ende der Geschichte geschrieben, das ein paar Jahre später eintreten sollte, alle sprachen über das Waldsterben, die Startbahn West und die Erderwärmung, es würde Stürme geben, Überschwemmungen, und demnächst wäre das Öl einmal alle; jeder kannte einen, der sich vor Kurzem mit Aids angesteckt hatte, immer lief irgendwo die Rocky Horror Picture Show, Wunderkerzenkult und ein Muss an schlechtem Geschmack, im Fernsehen kamen Dallas und der Denver Clan, Fassbinder war tot und wurde neuerdings zu den Guten gezählt, und wer ihn gekannt hatte, sagte RWF, wenn er von ihm sprach.

Adam hatte ihn nicht gekannt und fand die Rocky Horror Picture Show ätzend.

Er sagte ätzend, wenn ihm etwas nicht gefiel, und wenn ihm etwas gefiel, sagte er geil. Geile Turnschuhe. Geile Aufhängung.

Geile Bilder, sagte er, als wir in einer Ausstellung waren, in der sehr viel goldener Klimt hing, und alle drehten sich nach ihm um und schauten ihn sonderbar an.

Ich sagte, geil ist Klaus Kinski.

Ich gab ihm das Buch, das Kinski geschrieben hatte, Ich bin so wild nach deinem Erdbeermund, aber auch nachdem er das Buch gelesen hatte, sagte er weiter geil, wenn ihm etwas gefiel. Irgendwann sagte er es nicht mehr, und etwa um den Dreh fing Anatol damit an.

—

Da waren wir schon in Ilmenstett. Jottwehdeh.

Geil, sagte Anatol übermütig, als er bei unserem ersten Besuch den uralten LP 813 mit dem abgebrochenen Mercedesstern beim Bauern Holzapfel auf dem Hof entdeckte. Er war knapp vier.

Was heißt eigentlich geil, sagte ich und war neugierig, was er sagen würde.

Anatol sagte, besonders haltbar, und das war er allerdings, der LP 813, aber Anatol hörte irgendwann auch damit auf, geil zu sagen, und sagte stattdessen krass, weil sein Freund Bora Özyilmaz krass sagte. Magali fing gar nicht erst damit an.

Als wir uns kennenlernten, war Adam noch auf Probezeit in der Lehre. Er wohnte mit seinem Bruder in der umgebauten Garage bei seinen Eltern, ging abends in die Batschkapp oder in den Elfer und hörte Die Ärzte und Ton Steine Scherben. Alle grölten mit. Macht kaputt, was euch kaputt macht. Wer das Geld hat, hat die Macht.

Solche Sachen. Und die anderen.

Halt dich an deiner Liebe fest.

Die Antwort bist DU.

Gib mir Fleisch und Blut, gib mir Sinn.

Ich hab nix, und du hast nix, lass uns was draus machen.

In der Batschkapp sammelte er leere Bierflaschen, vom Flaschenpfand holte er sich selbst ein Bier.

Ich war nie in der Batschkapp oder im Elfer. Ich

ging ins Café Laumer um die Ecke beim Suhrkamp Verlag, abends sehr oft in den Club Voltaire. Einmal versuchte ich es im Elfer, aber da hatte ich Schuhe mit hohen Absätzen an, und am Tresen sahen sie mich an, als hätte ich sie nicht alle. Wie sieht die denn aus. Wo Adam hinging, war ich offenbar draußen.

Als ich schwanger wurde, sagte meine Mutter, mach dich nicht unglücklich.

Adam fragte seinen Meister, ob er zur Geburt des Kindes frei haben könnte.

Wann das sei, wollte der Meister wissen, und Adam sagte, dass man das nicht genau wissen könne. Darauf fragte der Meister, warum Adam überhaupt für die Geburt frei haben wolle, Kinderkriegen sei seines Wissens immer noch Frauensache, aber Adam wollte bei der Geburt dabei sein, und ich wollte für die Geburt nicht ins Krankenhaus, weil Kinderkriegen ja keine Krankheit ist, und all das war dem Meister nicht ganz geheuer, weil Frauen ihre Kinder im Krankenhaus zu kriegen haben, und die Männer kommen am Feierabend mit einem Blumenstrauß oder etwas vom Juwelier in die Klinik, dafür nimmt man sich nicht einen ganzen Tag frei, außerdem kriegt man seine Kinder gefälligst nicht in der Lehrzeit, Lehrjahre sind keine Herrenjahre, Adams Meister hatte seine Tochter schließlich auch erst bekommen, nachdem er vom Vater das Geschäft übernommen hatte, das heißt, natürlich hatte nicht er seine Tochter bekommen, sondern seine Frau, und zwar, wie sich das gehört, im Marienhospital, und er hätte doch nicht den Laden an dem Tag zusperren können, bloß weil seine Frau ein Kind bekam.

Am Ende setzte Adam durch, dass er einen Tag beweglichen Urlaub haben könnte, es war eine zähe und ungute Verhandlung. Danach fing er an, Schrauben, Nägel und Dübel aus dem Betrieb mitgehen zu lassen, weil er sagte, nach dem Theater mit dem Sonderurlaub wird der Meister mich nicht übernehmen, egal, wie die Prüfung ausfällt, und als der Meister eines Abends jemanden brauchte, der bei ihm zu Hause den Dachboden aufräumen würde, sagte Adam, dass er das gerne machen würde; an dem Abend klaute er zur Sicherheit ein paar Dutzend Zwingen und Stecheisen, eine uralte Nähmaschine mit Pedal und eine Stichsäge mitsamt einer Unmenge Sägeblätter.

Der weiß sowieso nicht, was er auf seinem Dachboden rumliegen hat, sagte er, als ich andeutete, dass es nicht legal sei, Gegenstände an sich zu nehmen, die seinem Meister gehörten.

Als er mit dem Generator ankam, war Anatol schon auf der Welt, und heute wissen wir beide nicht mehr, ob der Generator eine Betriebsbeute war oder von einer städtischen Baustelle stammt.

Die Leute, die ich kannte, bekamen keine Kinder, oder sie bekamen ihre Kinder erst später, nachdem sie ihre Leben mit Vitamin B ausgepolstert hatten und wir uns nicht mehr kannten.

Zu Anatols Geburt schenkte mein Vater mir ein elektrisches Waffeleisen mit Teflonbeschichtung. Bei der Gelegenheit stellte er fest, dass meine Wohnung zu klein war.

Warum suchst du dir keine größere, sagte er.

Seinem Enkel schenkte er ein Blatt Büttenpapier, auf dem stand, dass er ihm jedes Jahr zum Geburtstag eine Aktie seiner Firma kaufen würde, und von den Renditen dieser Aktien würde er ihm wieder Aktien kaufen, sodass Anatol, wenn er achtzehn würde, eine gepolsterte Zukunft vor sich hätte; Magali bekam keinen solchen Zettel zur Geburt, da war mein Vater schon abgehauen, und als Anatol achtzehn wurde, wussten wir schon lange nicht mehr, wo er war. Kann sein, er spielte irgendwo im Süden Golf, in Spanien oder Portugal oder sonst wo, kann genauso gut sein, er war inzwischen gestorben. Die Firma, in der er früher mal den Big Boss gespielt hatte, gab es schon längst nicht mehr; die war unterwegs von irgendeinem Konzern gefressen worden, Agropharma, der über Anatols Zettel nur lachen würde.

So viel zur Zukunft, sagte Adam, als ich mit dem Papier ankam. Die Zukunft, das war gestern.

Bütten, sagte Anatol. Damit kann man sich nicht mal den Hintern abwischen.

Was heißt hier Bütten, sagte Adam, ich nenn das eher Blüten.

Als Anatol achtzehn wurde, waren wir alle längst

—

draußen; wir lebten mit Fritzi, Massimo und den Kindern in Ilmenstett, das neue Jahrhundert war angebrochen, eine Menge Papier hatte sich als Blüten erwiesen; in der Welt tobte das blanke Desaster, und keiner hatte eine Ahnung, wie man es stoppen könnte, deshalb taten alle, als wäre es einfach nicht da. Aus unserer Streuobstwiese, auf der Adam aus Spaß und zum Zeitvertreib Mitte der Neunzigerjahre mit den Kindern die erste Jurte gebaut hatte, war längst das erste Basislager geworden, Triple-A, Asis, Alte, Arme, es ging um Essen, Klamotten, Dach überm Kopf, und nur Fritzi und ich hatten pro forma noch ein Konto. Trotzdem gab es mir einen Stich, als ich an Anatols achtzehntem Geburtstag das alte Blatt Büttenpapier aus der Schublade holte, in der ich es die ganzen Jahre liegen gehabt hatte. Unwillkürlich sah ich meinen Vater vor mir, wie ich ihn zum letzten Mal gesehen hatte. Da hatte er Anatol auf dem Arm gehabt. Anatol hatte ein Bäuerchen gemacht und ihm aufs Jackett gespuckt, und er hatte sich geekelt.

Anatol kann sich nicht mehr an seine Großeltern erinnern. Trotzdem hat er den wertlosen Zettel bis heute nicht weggeworfen.

Adam machte für die Prüfung eine Wickelkommode und wurde danach, wie er es sich gedacht hatte, nicht in den Betrieb übernommen, weil es dem Meister nicht passte, dass er so jung schon unverhei-

—

ratet ein Kind bekommen hatte, und das auch noch mit einer Frau, die viel älter war als er und außerdem noch studiert.

Die Leute, die ich kannte, waren alle irgendwie links, aber sie wussten, wann sie sich mit sauberen Fingernägeln bei ihren künftigen Schwiegereltern und Arbeitgebern vorzustellen hatten und dass es eine Sache ist, an der Uni irgendwie links zu sein, weil an der Uni die Professoren alle links waren, aber die Uni war schließlich nicht das wirkliche Leben, und Professoren sind bekanntlich nicht so ganz von dieser Welt. Die fängt anschließend an.

Adam gehörte zu den Leuten, die nach Holz, Metall und Arbeit riechen und an die die Flugblätter verteilt wurden. Die Leute, die ich kannte, waren eher diejenigen, die sie verteilten. Das ist ein Unterschied. Das war auch damals schon der entscheidende Unterschied, und es bleibt die Hanna Cash, mein Kind, bei ihrem lieben Mann. Deshalb kamen mir mit der Zeit die Leute, die ich gekannt hatte, allmählich alle abhanden. Bis auf Fritzi natürlich, aber das ist eine andere Geschichte.

Als Adam zu mir zog, hatte ich das Gefühl, wir müssten uns ein bisschen zusammenfalten, weil meine Wohnung schon ohne Adam und Anatol tatsächlich sehr klein gewesen war, und durch einen Mann und ein Kind wurde sie nicht gerade größer.

Adam arbeitete für eine Zeitarbeitsfirma als Springer und nebenbei schwarz. Zu Hause las er mein Bücherregal einmal quer durch, jedenfalls die Romane; nachts schlief er unruhig und träumte von dem, was er gelesen hatte.

Ich Rogoshin, sagte er im Schlaf, nachdem er Dostojewski gelesen hatte, und ich fand es einleuchtend, dass ihm nicht der blonde Idiot, sondern ausgerechnet der dunkle Rogoshin zu schaffen machte, der ganze dunkle Dostojewski.

In meiner Wohnung gab es, außer dass sie klein war, ein paar Schwachstellen. Kurz nachdem Adam eingezogen war, war im Badezimmer der Ausguss verstopft. Außerdem tropfte der Hahn.

Ich sagte, dann wollen wir mal einen Handwerker rufen, bevor das Waschbecken überläuft.

Adam sah mich an, als käme ich vom Mond.

Was für einen Handwerker, sagte er vorsichtig.

Ich sagte, na, einen Klempner.

Adam war erschüttert.

Hast du einen Eimer im Haus, sagte er dann, und nachdem er den Siphon ab- und schließlich wieder angeschraubt und die Dichtung gewechselt hatte, hielt er die Hand auf und sagte, macht plus An- und Abfahrt, Notfallpauschale, Wochenendzuschlag hundertsiebzehn fuffzig.

Ich hatte nicht gewusst, was eine Gummidichtung ist oder dass man den Siphon an- und abschrauben konnte; ich hatte genau genommen überhaupt nicht gewusst, dass ein Siphon unter dem Waschbecken war, und kannte das Wort eher im Zusammenhang mit dem Cocktailshaker, den meine Eltern sich gekauft hatten, nachdem mein Vater aufgehört hatte, Bier oder Cola-Cognac zu trinken, und sich stattdessen Old-Fashioneds und Manhattans mixte.

Mein Vater bringt keinen Nagel in die Wand, sagte ich, um meine Bildungslücke zu erklären und mich zu verteidigen.

Adam sagte, und was macht er, wenn er was aufhängen will.

Mein Vater kriegt auch keine Schuhe geputzt, sagte ich kleinlaut.

Bei uns wurde eigentlich nichts selbst gemacht.

Meine Mutter hasste Handarbeit, ob das Kochen, Abwaschen oder Bügeln war, sie war dafür nicht geeignet, wofür gibt es Personal. Mein Vater hasste Handarbeit mindestens ebenso und hätte sich die Hände lieber abhacken lassen, als damit einen Getränkekasten aus dem Keller zu holen oder einen Fahrradreifen zu flicken.

Als wir Kinder waren, bekam er gelegentlich einen väterlichen Anfall, weil meine Mutter beim Arzt im Wartezimmer Zeitschriften las, in denen stand, dass Väter gelegentlich etwas mit ihren Kindern unternehmen sollten. Außer dass er in seiner Firma und vor seinen Kindern den Big Boss markierte und wir alle Angst hatten, sobald er seine Brille abnahm und sie umständlich putzte, dann sagte er, ihr wollt mich wohl für blöd verkaufen, wer denkt ihr eigentlich, dass ihr seid, ihr werdet euch noch wundern; außer dass er den Big Boss markierte und uns das Wundern lehrte, bis wir nicht mehr wussten, wer wir waren, hatte er eigentlich nicht viel mit seinen Kindern zu tun, aber von Zeit zu Zeit las meine Mutter eben im Wartezimmer diese Zeitschriften und wollte am Wochenende die ganze Familie mal aus dem Haus haben, um sich in Ruhe die Fingernägel machen lassen zu können oder eine Fangopackung oder sonst was, und dann schickte mein Vater uns mit einem Einkaufszettel in den Papierwarenladen oder ins Bastelgeschäft, wir holten Drachen- und Krepppapier und was er sonst noch brauchte, und hinterher baute er einen Drachen.

Nehmt bloß die Finger weg, sagte er, wenn eine von uns dreien mit anfassen wollte, hier muss ein Fachmann ran. Zum Drachenbauen braucht man Grips und Verstand und genaueste Berechnung, Höhe auf Breite fünfzehn zu achtzehn, das ist kein Kinderspiel. Wir sahen ihm zu und ahnten, dass es übel ausgehen würde, weil mein Vater für Handarbeit nicht gemacht war.

Wenn wir Glück hatten, durften wir die Kreppschleifchen für den Drachenschwanz basteln, und hinterher gingen wir alle auf die große Wiese im Stadtwald, die im Herbst nach feuchter Erde, Blättern und Moos duftete und auf der meistens schon mehrere Väter Drachen steigen ließen, weil sie etwas mit ihren Kindern unternehmen sollten, damit ihre Frauen ein, zwei Stunden Ruhe oder Zeit zum Kochen oder für ihre Fangopackungen hätten. Ich liebte die Wiese, im Frühling blühten Weißdornbüsche und Schlehen darauf, im Sommer Glockenblumen und Margeriten und eine Menge anderer Blumen, von denen ich nicht wusste, wie sie hießen; sie duftete nach Wald und war ein friedlicher Ort, wo man hingehen konnte, wenn man in Ruhe lesen oder nachdenken wollte; bloß im Herbst war sie samstags die Hölle, weil die Väter dort Drachen steigen ließen oder mit ihren Motorflugzeugen am Himmel Krach machten, dass man sich die Ohren zuhalten mochte, und gegen den Benzingestank kam der leise Duft der Wiese nicht an. Alle Kinder standen neben ihren Vätern herum, warteten, bis es vorbei war, und hofften, dass kein Unfall passierte und ein Flieger abstürzte. Mein Vater rannte sich die Seele aus dem Leib, bis er knallrot im Gesicht war, aber sein Drachen wollte einfach nicht fliegen, nie; irgendwann hoppelte er ein paar Meter in die Luft, dann stürzte er ab und war hin, und mein Vater wurde wütend auf uns.

Mit euch kann man nicht einmal einen Drachen bauen, sagte er, und es war nicht ganz klar, ob man das nicht konnte, weil wir uns mit den Drachenschwanzschleifchen so ungeschickt angestellt und überhaupt zwei linke Hände hatten, oder ganz allgemein, weil wir Mädchen waren, jedenfalls war der Tisch, auf dem er den Drachen gebaut hatte, unregelmäßig mit Uhu beschichtet; am nächsten Tag würde die Putzfrau ihre Freude daran haben, und mein Vater würde eine Weile lang vergessen haben, dass Väter mit ihren Kindern etwas unternehmen sollten.

Ich lach mich kaputt, sagte Adam, als ich ihm von unseren Drachenbastelnachmittagen erzählte, aber er sah nicht aus, als würde er die Geschichte lustig finden.

Er war mit seiner kleinen Schwester oft am Fluss zum Drachensteigen gewesen, nachdem seine Mutter durchgeknallt war und er sich um die Kleine kümmern musste.

Du musst dir dabei nicht die Seele aus dem Leib rennen, sagte er, im Gegenteil, du musst nur geduldig sein, auf den richtigen Moment warten, den richtigen Wind, und schon ist der Drache oben.

Im Übrigen hatten er und seine kleine Schwester für ihre Drachenschwänze kein Krepppapier, sondern immer den Otto-Katalog genommen.

Wir hatten keinen Otto-Katalog gehabt, weil wir nichts vom Versandhandel kauften, sondern eine Schneiderin hatten, die uns alles auf Maß nähte, und in der ersten Zeit, als Adam bei mir wohnte, merkten wir, dass es nicht nur in der Frage von Dichtung und Siphon, Krepp und Otto-Katalog in unseren Leben sehr verschieden zugegangen war, sondern dass seine Welt und meine Welt sich in fast gar keinem Bereich überschnitten oder auch nur berührten, sondern einander sehr fremd und himmelweit voneinander entfernt waren; aber immer wenn wir in der Anfangszeit seine mit meiner Welt bekannt machen wollten, wollte die eine Welt die andere gar nicht kennenlernen, sondern die Welt bleiben, die sie schon immer gewesen war, und so haben sich die Czupeks und meine Familie niemals kennengelernt und später meistens vergessen, eine Postkarte mit guten Wünschen zu schicken, wenn Anatol oder Magali Geburtstag hatten, weil unsere Kinder weder zur Czupek-Welt noch zu meiner Familie gehörten. Den Kindern fehlten diese Postkarten und die guten Wünsche natürlich nicht, weil sie es nicht anders kannten, aber Adam sagte viele Jahre lang, ist doch eigentlich zum Heulen, da haben die beiden vier Großeltern und geschlagene sechs Onkel und Tanten, und keiner schert sich was drum, dass es sie überhaupt gibt.

Ich sagte, das ist schon ein Verhängnis. Sippenhaft.

Das wäre noch gelacht, sagte Adam.

Mir konnte es passieren, selbst noch in Ilmenstett, selbst als wir schon längst in unserer eigenen Welt angekommen und mit dem Basislager beschäftigt waren, dass ich die Tränen runterschlucken musste, wenn in irgendeinem dämlichen Werbespot eine als Großmutter verkleidete Frau irgendeine Dosensuppe aufwärmte oder ein älterer Mann einem Kind eine Tüte Bonbons hinhielt, aber dann erinnerte ich mich daran, dass wir keine Wahl gehabt hatten, und ich dachte, gut, dass wir keine Wahl gehabt hatten, sonst wären Anatol und Magali überhaupt nicht auf der Welt, weder in der längst auseinandergebrochenen Welt meiner Eltern, noch in der unübersichtlichen Welt der Czupeks.

Bei den Czupeks wurde alles gesammelt und aufgehoben, und mit der Zeit verstand ich, dass es mit dem Verhungern und Erfrieren zu tun hatte, von denen Adams Mutter in ihren sinnlosen schönen Sätzen sprach. Pommerland ist abgebrannt, sang sie manchmal, wenn sie in der Küche Kartoffeln für sieben Personen schälte; irgendwann begriffen wir, dass ihre eigene Mutter auf der Flucht aus dem abgebrannten Pommerland verhungert oder erfroren war oder beides, jedenfalls wurden bei den Czupeks Stoffe und Wolle und Knöpfe und Garn gesammelt und aufgehoben, Zucker und Mehl, Reis und Konserven, Adams Mutter hat gehortet, was ihr nur in die Finger kam. Als sie starb, war das kleine überheizte Haus vollgestopft mit Wollknäueln, Stoffbahnen, Vliesen und Bergen von Schnittmustern. Auch mit Lebensmitteln, mit abgelaufenen Konservendosen im Sechser-Angebotspack, ranzigen Nüssen und mottenbefallenem Mehl, weil Leute, wenn ihr Leben nicht geradeaus geht, immer Angst haben, dass sie verhungern oder erfrieren könnten, und alles aufheben und horten, man weiß nie, wofür man es noch gebrauchen kann.

Adam hatte inzwischen nicht nur seinen Meister um einiges erleichtert, wovon ich absolut nicht wusste, wofür man es noch gebrauchen würde; er konnte an keinem Sperrmüll vorbei, ohne nachzusehen, ob etwas darin wäre, ein Werkzeug, ein Hobel, ein Ersatzteil, eine angebrochene Rolle doppelseitiges Klebeband, eine Spule, etwas, wovon er möglicherweise jetzt noch nicht genau wusste, wofür er es würde gebrauchen können, aber irgendwann einmal würde er es bestimmt gebrauchen können, irgendwann in einer Zukunft, in der es das möglicherweise nicht mehr geben würde.

Wer weiß, ob es so ein einwandfreies Wiegemesser in zwanzig Jahren überhaupt noch gibt, sagte er, als er einmal ein rostiges altes Wiegemesser fand.

Einwandfrei ist vielleicht ein großes Wort für das olle Ding, sagte ich, aber Adam sagte, das bisschen Rost, das legen wir in Petroleum, die Klinge ziehe ich dir ab, und du wirst sehen, irgendwann bist du dankbar für dieses Ding.

Schwer vorzustellen, wann das sein soll, sagte ich. Mich macht das jedenfalls heute nervös, wenn du hier jeden Schrott anschleppst, der auf der Straße liegt.

Adam überhörte, dass ich sein einwandfreies Wiegemesser zu Schrott erklärt hatte. Er sagte, du wirst sehen, in zwanzig Jahren haben sie uns alle so weit verblödet, dass wir nur noch auf Knöpfe drücken können. Und was nicht auf Knopfdruck läuft, kommt auf den Müll, weil's nicht mehr zu reparieren ist.

Wer ist »sie«, sagte ich.

Keine Ahnung, aber so wird's kommen, sagte Adam ruhig und voller Überzeugung. Ich dachte an das elektrische Waffeleisen, das mein Vater mir zu Anatols Geburt geschenkt hatte, und sagte nichts.

—

Ich hatte das Waffeleisen ein Mal ausprobiert, es war irgendwie plastikbeschichtet, und die ganze Wohnung hatte nach der Beschichtung gestunken. Die Waffeln waren nicht knusprig geworden und hatten auch nach Beschichtung geschmeckt. Adam legte das Wiegemesser also in Petroleum, zog die Klinge ab und sagte, das hält jetzt für die Ewigkeit. Da werden sich unsere Enkel noch drüber freuen.

Ist doch in top Zustand, sagte er, wenn er an einem Sessel vorbeikam, der alles andere als gepolstert war und aus dem die blanken Sprungfedern herausragten, und er wusste ganz gewiss nicht, was er mit der Klabund-Ausgabe anfangen sollte, die schon etwas zerfleddert und unvollständig in Einzelbänden bei einem Umzug in unserer Nachbarschaft entsorgt worden war, aber er wusste, dass ich viele Bücher besaß, und daraus zog er den Schluss, dass ich offenbar Bücher sammelte und aufhob wie seine Mutter ihre Stoffe, die Wolle und die Konservendosen aus dem Angebot; ich bekam ein paar Bände Klabund zu meinen Büchern hinzu – wer weiß, ob es solche Bücher in zwanzig Jahren noch gibt, dachte ich amüsiert –, und noch bevor Anatol auf der Welt war, hatten wir ein ramponiertes Kinderbettchen, das Adam nur noch rasch würde kindersicher machen müssen, kein Problem, ein paar Stangen eingezogen, blau gestrichen, Farbe müsste noch da sein, eine halbe Dose, die er von der letzten Baustelle mitgebracht hatte, dann sieht das Bett wie neu aus, du wirst sehen, und für später hatte er ein rostiges Kinderfahrrad gefunden, mit abgebrochenem linken Stützrädchen, aber wofür braucht man Stützrädchen, Adam hatte das Radfahren ganz ohne gelernt, also würde er die beiden Stützräder einfach abmontieren, eine Klingel hatte er noch irgendwo herumliegen, abschleifen, ein bisschen Rostschutz und Lack drauf; Adam fand immer etwas Vernünftiges, das er der Vergänglichkeit entreißen und in eine Zukunft mitnehmen musste, die seiner festen Überzeugung nach dem heillosen Wahnsinn geweiht war und ein Desaster würde, weil sie uns bis dahin so weit hätten, dass wir zu blöd zum Kartoffelschälen wären und nicht mal mehr einen Knopf würden annähen können.

Wenn Adam in seinen apokalyptischen Zukunftsvisionen schwelgte, fiel mir auf, wie jung er noch war, und es kam mir vor, als wäre ich die Erwachsene von uns beiden.

Ich sagte, apropos Desaster. Kannst du mir mal die Dose mit dem Tomatenmark aufmachen. Der Öffner ist noch nicht erfunden, mit dem ich eine Dose aufkriegen könnte. Bin ich einfach zu blöd dafür.

Kannst mich ruhig hopsnehmen, sagte Adam und machte die Dose auf.

Als er auf dem Weg von der Arbeit eines Tages in einem Berg von Gerümpel eine Waschmaschine entdeckte, sagte er, was für ein Segen. Sieht eins a aus. Keine zwei Jahre alt. Steht da einfach so auf der Straße rum. Manche haben's.

Meine Waschmaschine war ziemlich alt und machte unheimliche Geräusche. Sie lief praktisch unaufhörlich, seit Anatol mit dem Laufen angefangen hatte; schon vorher hatte er das Talent, sich in kürzester Zeit unglaublich dreckig zu machen; wenn ich ihm eine Banane in die Hand gab, war er vom Kopf bis zu den Zehenspitzen mit der Banane beschäftigt und eingesaut. Meine Waschmaschine stand in der kleinen Speisekammer hinter der Küche, und aus der Speisekammer kamen in Intervallen besorgniserregende Geräusche, ein unregelmäßiges Ächzen und Poltern, das im Schleudergang schließlich umschlug in blanke Raserei; außerdem hatte die Maschine in letzter Zeit angefangen, sich ruckweise zu bewegen.

Gibt demnächst den Geist auf, sagte Adam, als ich ihm zeigte, wie es in der Speisekammer ruckte und zuckte und raste.

Die Kohlen sind in Ordnung, sagte er, nachdem er die Maschine auseinandergenommen hatte, es muss an der Elektronik liegen. Das kann teuer werden.

Und jetzt findet er doch genau im richtigen Augenblick eine Eins-a-Waschmaschine, die wir auf der Stelle gebrauchen können.

Adam sagte, manche haben's, manche haben's nicht, und für die ist der Sperrmüll wie geschaffen.

Ich sagte, die Leute werden schon wissen, wa-

—

rum sie sie rausgeworfen haben, wahrscheinlich hat die Maschine geleckt, und sie hatten einen Wasserschaden, aber die Waschmaschine ließ Adam keine Ruhe; zum Glück hatte er kürzlich einen Handwagen gefunden, bei dem nur ein Reifen platt war, und die paar Treppen von der Haustür bis hoch in die Wohnung würden wir das Ding zu zweit schon schleppen können.

Auch die Gartenbank ließ ihm keine Ruhe, die jemand freundlicherweise sogar noch auseinandergebaut hatte, bevor er sie vor die Tür gelegt hatte, damit Adam sie, fix und fertig zerlegt, gleich mitnehmen konnte; sonst hätte er vielleicht gar nicht bemerkt, dass das Gestell aus Gusseisen war, eine schöne Arbeit, bestimmt noch 19. Jahrhundert, bestimmt Jugendstil und bestimmt eine Menge wert.

Ich sagte, Adam, wir haben keinen Garten für deine Jugendstil-Gartenbank, wir haben nicht einmal einen Balkon, aber Adam sagte, wer weiß, was kommt; und auch wenn ich nicht nachvollziehen konnte, wofür wir jemals eine Betonmischmaschine brauchen würden – noch vor Magalis Geburt hatten wir eine im Keller.

Vor Magalis Geburt waren die Wohnung, Teile meines Dachbodens und mein Keller voller Kostbarkeiten, von denen Adam sagte, ein Segen, dass man so etwas auf der Straße finden kann.

Ich sagte, was du so Segen nennst. Das kann einem leicht zum Fluch geraten, das ganze Gerümpel.

—

In unserem Haus wohnten außer uns noch ein Werbebüro, eine Ärztin mit ihrer Tochter und ein Studienratsehepaar ohne Kinder, und alle hatten oben in meinem Stockwerk noch eine Mansarde. Die Ärztin spielte sehr oft und sehr schlecht Klavier, einmal fragte sie mich, ob ich Klavier spielen könne und womöglich Lust hätte, mit ihr vierhändig zu spielen. Ich hatte keine Lust. Klavierspielen war das Einzige, was meine Mutter an Handarbeit ertrug, und nacheinander bekamen ihre drei Töchter ein paar Jahre lang Unterricht und mussten vierhändig mit ihr spielen, sich den Fingersatz erklären lassen, den Anschlag, die Handhaltung und das Wesen von Musik, irgendwann brachen alle in Tränen aus, am Abend beschwerte sich meine Mutter bei unserem Vater, und danach flossen noch mal Tränen; aber weil die Ärztin so gern spielte, wie sie schlecht spielte, ging ich manchmal hinunter. Als ihre Tochter noch klein gewesen war, hatte sie manchmal bei mir übernachtet, wenn die Mutter Nachtschicht hatte und nicht wusste, wohin mit Mara, und irgendwann später machte sie sich Sorgen, dass das Kind stottern würde. Ich sagte, es ist ganz normal, dass Kinder in dem Alter noch nicht flüssig sprechen, aber die Ärztin machte sich gern wegen ihrer Tochter Sorgen, Mara hat dies, Mara hat jenes, also kam Mara wegen des Stotterns zu mir hoch, wir sangen ein paar Lieder, und ich erzählte ihr ein paar Märchen, das Stottern legte sich, und dann fand ihre Mutter etwas anderes, das Mara haben könnte. Inzwischen war sie fünfzehn, seit zwei

—

Jahren in Therapie und hatte es satt, immerzu etwas zu haben.

Alle im Haus duzten sich, weil alle irgendwie links waren; bei den Studienräten lag der Pflasterstein neben dem Spiegel und der Reiterrevue im Flur herum, damit es auch jeder sehen konnte. Adam hatte es gesehen, weil er ihnen ein paarmal das Türschloss geknackt hatte, nachdem sie sich ausgesperrt hatten, und beim vierten Mal hatten sie ihn gefragt, ob er ihnen ein Podest bauen würde.

Klar doch, hatte er gesagt und ihnen ein Podest, ein paar Regale und schließlich seine erste Küche gebaut.

Damals waren die Möbelhäuser noch nicht auf den Dreh mit den Kochinseln gekommen, die Küchenzeilen in den Einbauküchen liefen artig immer an der Wand lang, aber als Adam über die Küche für unsere Nachbarn nachdachte, fand er das langweilig.

Wäre doch praktischer, den ganzen Küchenblock in die Mitte der Küche zu packen, Koch- und Arbeitsplatte, Platz zum Sitzen, sagte er. Die Nachbarn hatten auch noch keine Kochinsel gesehen, die damals noch nicht einmal Kochinsel hieß, als Adam darüber nachdachte. Sie waren skeptisch, aber Adam sagte, wenn ich euch hier eine Einbauküche nach Maß reinstelle, und irgendwann zieht ihr aus, dann könnt ihr sie nicht mehr gebrauchen. Futsch und im Eimer.

Als seine Küche fertig war, war sie tatsächlich ein Traum und sprach sich im Mund-zu-Mund-Verfahren und in Windeseile unter den Studienräten und

Professoren der Stadt herum, und Adam hatte jede Menge zu tun. Später kamen die Designer und Möbelhäuser dann auf den Dreh und nannten das Ganze Kochinsel, und Adam sagte manchmal, das Ding hätte ich mir patentieren lassen sollen, aber da waren wir schon in Ilmenstett, und Adam hatte Besseres zu tun, als Kücheninseln zu bauen, weil er mit dem Basislager auf unserer Streuobstwiese einen Wettlauf gegen die Zeit angefangen hatte, bevor sie uns alle so weit hätten, dass wir keine Kartoffel mehr schälen und keinen Knopf würden annähen können.

Ich bekam meine Wohnungskündigung, als Magali acht Wochen alt war. Adam war nicht da. Dem Hausbesitzer sei mitgeteilt worden, stand in dem Schreiben, dass ich einen Mitbewohner in meiner Wohnung hätte, der nicht ordnungsgemäß angemeldet sei.

Tatsächlich hatte ich inzwischen drei unangemeldete Mitbewohner, zwei davon minderjährig, also wahrscheinlich nicht meldepflichtig.

Als Adam am Abend nach Hause kam, überlegten wir lange, wer es gewesen sein mochte, der dem Hausbesitzer diese Mitteilung gemacht hatte.

Adam sagte, komischerweise findet sich immer wer, der die Bullen ruft, wenn meine Mutter durchgeknallt ist und im Nachthemd auf die Straße rennt. Dabei ist sie nur neben der Kapp; tut keiner Fliege was zuleide; die Nachbarn könnten sie einfach ins

Haus zurückbringen und warten, bis sie zu sich kommt, aber man rennt nun mal nicht im Nachthemd auf die Gass.

Wie dem auch sei, sagte ich schließlich, es sieht so aus, als müssten wir hier raus.

Ich mochte mir nicht vorstellen, dass es die Ärztin oder das Studienratsehepaar gewesen waren.

Was 'n Wetter, was 'ne Zeit. Es ist finster weit und breit, sagte Adam, und ich musste lachen.

Ton Steine Scherben, sagte er, weil ich die Zeilen nicht kannte.

Damit war ich auch draußen, und kaum dass ich draußen war, wurden alle Wohnungen in Eigentumswohnungen umgewandelt. Bei mir oben zog Mara ein, und ich hätte mir denken können, dass einen das vierhändige Klavierspielen nicht davor schützt, von seinem Mitspieler verpfiffen zu werden.

Zu der Zeit war mein Vater schon abgehauen und wohnte übergangsweise in einer Mietwohnung, bevor er dann ganz verschwand. Wir besuchten ihn einmal, weil Adam sich seine Schrankwand anschauen sollte; meine Mutter hatte ihm die Schrankwand überlassen, obwohl sie sehr teuer gewesen war, sie hatte ihm die gesamte Wohnzimmereinrichtung überlassen und nur ihren eigenen Sekretär und die Kirschholzmöbel aus dem Esszimmer gewollt, nur die Sachen, die sie selber ausgesucht hatte. Jetzt hatten die Möbelpacker alles andere in die Übergangswohnung getragen und dort wieder aufgebaut, und mein Vater hatte sie im Verdacht, das nicht richtig gemacht zu haben.

Du weißt ja, wie solche Leute sind, sagte er zu mir. Die haben's nicht so sehr hier – er tippte sich an die Stirn –, sondern hier, und dabei zeigte er auf seinen linken Oberarm.

Klar doch, sagte Adam. Er zog einen Unterarm hoch, spannte die Oberarmmuskeln an und sagte, so etwa.

Mein Vater sagte nichts.

Kannst du Anatol mal kurz nehmen, sagte ich und setzte meinem Vater das Kind auf den Arm, weil ich in die Küche gehen und Kaffee kochen wollte.

Adam schaute sämtliche Scharniere und Schlösser durch, und dann sagte er, dem Schrank fehlt nichts außer Politur.

In der Küche stand jede Menge schmutziges Geschirr, aber kein Kaffee. Aus dem Wohnzimmer heraus sagte mein Vater, ich habe noch keine Putzfrau. Adam hatte Politur in seinem Werkzeugkoffer.

Wenn der Kaffee nicht offen in der Küche stand, sei er wahrscheinlich in einem der Küchenschränke.

Adam fing an, den Wohnzimmerschrank mit Politur abzureiben.

Ich sah in den Küchenschränken nach, aber es war kein Kaffee zu finden, es wäre auch gar kein Platz für Kaffee mehr in den Schränken gewesen, weil sie

—

alle randvoll mit leeren Bierflaschen waren. Offenbar war es vorbei mit den Old Fashioneds und den Manhattans.

Dass mein Vater keinen Nagel in die Wand brachte, weil er Handarbeit hasste und sich lieber die Hand hätte abhacken lassen, als einen Getränkekasten aus dem Keller zu holen, das wusste ich, aber bislang war mir nicht klar gewesen, dass Flaschenwegbringen auch zur Handarbeit zählte. Als ich wieder ins Wohnzimmer kam, glänzte der Schrank und duftete nach dem Wachs in Adams Möbelpolitur. Ich hätte meinen Vater gern gefragt, was er mit den Bierflaschen machen würde, die er heute Abend austrinken und anschließend würde unterbringen müssen, in der Küche jedenfalls hatte keine einzige Flasche mehr Platz, aber ich verkniff es mir, weil ich dachte, dass er dann wahrscheinlich Adam fragen würde, ob er nicht so freundlich wäre, die leeren Bierflaschen wegzubringen, und mir war es schon nicht recht, dass mein Vater uns eingeladen hatte, um sich seinen Wohnzimmerschrank polieren zu lassen, das können sie, solche Leute, aber solche Leute würden ihm heute keinesfalls seine Bierflaschen wegbringen, das Pfandgeld könnt ihr behalten; in diese Überlegung hinein machte Anatol ein Bäuerchen und spuckte meinem Vater auf die Schulter; mein Vater verzog das Gesicht und gab ihn mir hastig zurück, und ich überlegte, ob es wohl auch unter Handarbeit fiele, dass er jetzt das Jackett zur Reinigung bringen müsste, aber der Wohnzimmerschrank war fertig poliert, und wir kamen ohne Kaffee, ohne das Jackett und ohne die leeren Bierflaschen aus dem Nachmittag raus, und das war das letzte Mal, dass wir meinen Vater gesehen haben, mit diesem vor Ekel hässlich entstellten Gesicht wegen der Babyspucke auf dem Jackett.

Meine Mutter war gekränkt darüber, dass mein Vater abgehauen war. Nicht, dass sie deshalb ihr Leben großartig würde ändern müssen, die Wohnung gehörte ihr sowieso zur Hälfte, und von den Einnahmen aus den Ferienhäusern an der Nordsee würde sie leben können; gekränkt war sie eher, weil sie annahm, dass ihr Mann eine Jüngere hatte, und nachdem Magali geboren und meine Wohnung gekündigt war, hätte sie es gern gesehen, wenn ich mit den Kindern zu ihr gezogen wäre.

Meine älteste Schwester war verheiratet und wohnte in einer Villa außerhalb der Stadt, sie hatte ihr Studium abgebrochen und wartete darauf, dass sie ein Kind bekäme. Wenn ich sie und ihren Mann ansah, überlegte ich manchmal, ob ich den beiden verraten sollte, dass sie das Kind nicht vom Warten bekommen würden. Aber wahrscheinlich wollten sie gar kein Kind, sondern taten nur so und redeten unaufhörlich darüber, um davon abzulenken, dass sie gar kein Kind wollten.

Die ersten zwei Jahre im Leben eines Kindes sind entscheidend, sagte meine Schwester, während sie sich die Wartezeit mit der Lektüre verschiedener frühkindlicher Förderprogramme vertrieb, und ihr Mann war sowieso der Meinung, dass sich eine Mutter in den ersten Jahren ausschließlich ihrem Kind und der gedeihlichen Entwicklung des Kindes widmen sollte; er saß damals noch nicht im Vorstand seiner Versicherung und war zu der Zeit noch irgendwie halbwegs links, weil alle irgendwie links waren, und dass er bei einer Versicherung arbeitete, war ihm vor uns manchmal etwas peinlich. Wenn wir uns trafen, sagte er zu Adam, na, was macht der Job, und dann erzählte er von sich und seinem Job, der aber kein Job war, sondern eine handfeste Karriere. Nach meiner Arbeit fragte er nicht, weil ich ja zwei kleine Kinder hatte. Er jedenfalls hätte nicht gewollt, dass seine Frau arbeiten ginge. In Wirklichkeit wollte er weder von Adam noch von mir etwas wissen. Einmal erzählte ich von Dr. Zach, einem Patienten aus dem Nachbarhaus, der nach einem Schlaganfall wieder zu Hause war, Halbseitenlähmung, Aphasie, schwerste Schluck- und Gedächtnisstörungen. Der alte Mann war Geiger gewesen, und an Sommerabenden, wenn er das Fenster aufhatte, hatte ich ihn oft spielen gehört.

Fehlt mir richtig, diese Geige, sagte ich.

Meine Schwester und ihr Mann räusperten sich; sie wollten weder von Dr. Zachs Geigenspiel noch von seiner Angst etwas wissen, sondern möglichst zügig ihre Zukunft weiter auspolstern, und dazu waren wir nicht die richtigen Leute, weil wir kein Vitamin B für eine Versicherungslaufbahn hatten; wir sahen die beiden nur selten.

Meine älteste Schwester jedenfalls, das war meiner Mutter klar, würde sich nicht um sie kümmern wollen, weil sie sich um die Karriere ihres Mannes kümmerte, hinter jedem erfolgreichen Mann steht eine starke Frau, und meine andere Schwester fing gerade ihren alternativen Dritte-Welt-Textilhandel an, nachdem sie ihre indische Phase hinter sich und mit ein bisschen Vitamin B von meinem Vater die Kurve gerade noch eben gekriegt hatte. Sie saß inzwischen die meiste Zeit im Flugzeug und pendelte zwischen Deutschland und Indien oder Brasilien hin und her; bei ihr ging es um Anbau, Einkauf, Färbereien, PR, das Fair-Trade-Siegel und die Frage der Kinderarbeit, soll man, soll man nicht, später dann ging es um Life Science, die Kapselraupe und um Roundup Ready, um Effizienz und den Agromarkt.

Mit ihr hatte meine Mutter also auch nicht zu rechnen, und da witterte sie ihre Chance, als mir die Wohnung gekündigt wurde.

Am besten wird es sein, du ziehst mit den Kindern zu mir, sagte sie, als ich ihr erzählte, dass wir demnächst vor die Tür gesetzt würden.

Von Adam sprach sie nicht.

Sonderbarerweise war Adam nicht so entsetzt wie ich, als ich ihm davon erzählte, dass meine Mutter mir angeboten hatte, mit den Kindern bei ihr zu wohnen.

Platz hat sie ja, sagte er, und ich überlegte, ob ich ihm sagen sollte, dass sie ihn in ihrem Angebot nicht mitgemeint hatte, weil er zu einer anderen Welt gehörte und solche Leute wäre, die in die Welt und Wohngegend meiner Mutter wohl kaum passen würden, wenn sie schon in ein Mietshaus nicht passten, in dem eine Ärztin und Studienräte wohnten, die immerhin irgendwie links waren und Adam nicht gut ins Gesicht sagen konnten, dass es ihnen nicht recht war, wenn er im Blaumann von der Arbeit kam und im Treppenhaus die Ton Steine Scherben pfiff. Ich bin nicht faul, und ich bin nicht dumm, etwas Ärger und Mühe wirft mich nicht um.

Platz hat sie, sagte ich, aber ich fürchte, zwischen dir und ihr wird es nicht klappen.

Adam sagte, du kennst sie besser als ich.

Und dabei wollen wir es nach Möglichkeit auch belassen, sagte ich.

Bei der Wohungssuche ist man durchschlagend erfolglos, wenn man mit einem dreijährigen Anatol im Buggy und einer winzigen Magali im Tragetuch zur Besichtigung erscheint, an Adams Händen war der Dreck festgewachsen und mit Seife nicht abzukriegen, und am Ende wäre es fast darauf hinausgelaufen, dass wir zu meiner Mutter hätten ziehen müssen, aber kurz bevor es fast darauf hinausgelaufen wäre, schickte uns der Himmel meine Freundin Fritzi, die ich vor ein paar Jahren aus den Augen verloren hatte und von der ich dachte, sie sei in Paris.

Ich hatte Fritzi in einer Arbeitsgruppe kennengelernt, in die sie nur so aus Interesse gegangen war und ich eigentlich auch, weil mich Robert Walser beschäftigte; ich ging manchmal in Seminare über Schriftsteller, die ich mochte, auch wenn ich die Scheine gar nicht brauchte, Fritzi brauchte sie auch nicht, weil sie Psychologie studierte, und eine Weile gingen wir dann gemeinsam in solche Veranstaltungen.

Sie verdiente sich, nachdem sie sich mit ihren Eltern verkracht hatte, ihr Studium mit Taxifahren und träumte von einer eigenen Halbtagspraxis, in der sie alles anders machen würde, als man es in ihrem Studium lernte.

Rattenpsychologie und Statistik, sagte sie abfällig über das, was sie im Studium lernte, und wenn sie in ihrem Taxi auf Kundschaft wartete, las sie nächtelang Foucault und hoffte darauf, dass etwas anderes in ihrem Leben passieren würde als Uni und Taxifahren, weil sie gern herausgefunden hätte, wie es sich anfühlen würde, anders zu denken, als sie es tat. Bei einer ihrer Taxifahrten lernte sie einen Mann kennen, der etwa doppelt so alt war wie sie und den sie für dieses andere in ihrem Leben hielt; dem Geheimnis nach, das sie um diesen Mann machte, musste er entweder mit Foucault zu tun haben oder verheiratet sein, jedenfalls stellte sie ihn mir nicht vor. Von da an fuhr sie jedes zweite Wochenende nach Paris, kam Sonntagnacht abwechselnd aufge-

—

kratzt oder deprimiert und immer total übermüdet wieder zurück, nahm vor lauter Leidenschaft oder weil ihre Eskapaden empfindlich ins Budget gingen, ein paar Kilo ab, und nach dem Grundstudium zog sie in eine winzige Wohnung im 20. Arrondissement.

Jetzt war sie erst seit Kurzem wieder in der Stadt, und wenn ich nicht zufällig vor der Stadtbücherei mit ihr zusammengestoßen wäre, hätte es gut sein können, dass ich mit den Kindern tatsächlich zu meiner Mutter hätte ziehen müssen, und ich mochte mir nicht ausmalen, wie meine Mutter mich ansehen würde, wenn ich sagte, und Adam zieht auch mit ein. Wie es dann weitergegangen wäre, mochte ich mir auch nicht ausmalen, aber unglücklicherweise konnte ich gar nichts dagegen tun, dass ich es mir immer nachts ausmalte, meistens genau dann, wenn ich nichts lieber tun wollte als endlich schlafen, nachdem Magali gestillt und die Windeln gewechselt waren.

Manchmal wurde Adam davon wach, dass ich nicht schlafen konnte. Dann nahm er mich in den Arm und sagte, es geht immer irgendwie weiter.

Das Irgendwie macht mir Sorgen, sagte ich.

Einen Schatten, deinen Schatten, murmelte Adam im Schlaf, eine Stimme, deine Stimme, halt mich fest; ich murmelte leise, Ton Steine Scherben, danach schlief er beruhigt wieder ein, während ich weiter an das Verhängnis dachte, das uns bevorstand, wenn wir mit meiner Mutter leben müssten, aber schließlich schickte uns der Himmel meine Freundin Fritzi direkt vor die Stadtbücherei.

Ey, sagte ich, du hier.

Fritzi zeigte auf Anatol in seinem Buggy und auf Magali und sagte: Wow.

Allerdings wow, sagte ich.

Es stellte sich heraus, dass sie wieder im Lande war, weil sie von ihrer Patentante ein Haus geerbt hatte, in dem sie demnächst ihre Praxis eröffnen würde.

Halbtags, sagte sie. Leben muss schließlich auch noch drin sein.

Und der Mann in Paris, sagte ich.

Ist immer noch verheiratet. Das hältst du ein paar Jahre aus, aber irgendwann macht es dich alle. Da habe ich echt ein Haus geerbt, sagte sie dann. Stell dir vor.

Klingt wie geträumt, sagte ich. Ein Haus, ist das nicht so ein Ding mit vier Mauern drum herum und einem Dach obendrauf?

Hat aber einen Haken, sagte sie.

Der Haken hieß Ilmenstett.

Wo liegt Ilmenstett, sagte ich.

Das ist es eben. Mittlere Kleinstadt, Fachwerk, Wald drum herum, Kiessen, Burg aus dem 12. Jahrhundert. Kennt kein Schwein. Eigentlich gar nicht mal so weit weg, aber gerade doch so, dass man denkt, jottwehdeh.

———

Dann sagte Fritzi, ich will ja nicht indiskret sein, aber hast du auch einen Vater zu deinen zwei Kindern?

Ich erzählte, dass Adam als Springer arbeitete, Zeitarbeit, letztens bei der Lurgi und der Degussa, jetzt schon seit Längerem bei DuPont, und dies und das schwarz nebenbei.

Was denn so schwarz nebenbei, sagte Fritzi, und ich sagte, dass sich im Augenblick praktisch epidemisch alle Professoren und Studienrätinnen der Stadt dazu entschlossen hatten, Altbauwohnungen zu kaufen, bei denen als Erstes die Dielen abgeschliffen, dann der Stuck restauriert und als Nächstes Buchenholzküchen mit Kochinseln angefertigt und eingebaut werden müssten, bis sie dann herausfanden, dass im ganzen Haus die Leitungen marode und die Rohre aus Blei waren, und dann wurde es richtig teuer und für Adam lukrativ.

Kann dein Mann denn das alles, sagte Fritzi. In ihrer Stimme lag die lauterste Ehrfurcht vor so viel Können, und dann rückte sie damit heraus, dass Ilmenstett nur der eine Haken bei ihrer Erbschaft sei, der zweite würde ein längeres Gespräch erfordern.

Komm doch heute Abend, wenn die Kinder schlafen.

Klar geht das, sagte Adam, nachdem er sich am Abend den ungefähren Zustand des Hauses angehört hatte, und leider hatte Fritzi zu ihrem Haus

—

nicht die erhebliche Menge Geld dazu geerbt, die sie hineinstecken müsste, bevor sie die Praxis dort eröffnen konnte.

Fritzi war ihr Leben lang beinah so drinnen gewesen wie ich, bevor ich Adam kennengelernt und mir gedämmert hatte, dass es drinnen und draußen überhaupt gibt; sie war genauso wie ich darauf vorbereitet worden, dass alles mehr oder weniger geradeaus gehen würde, eher mehr als weniger, Abitur, Studium, Beruf oder Heirat und Kinder, und wenn Fritzi auch nur einen Teil des Geldes gehabt hätte, das sie in ihr Haus hätte hineinstecken müssen, wäre es in ihrem Fall wahrscheinlich auch so gekommen: Kostenvoranschlag, Unterschrift, Kreditantrag, Baubeginn; und mit der Verzögerung, die man selbst dann einrechnen muss, wenn das Leben geradeaus geht, hätte sie in einem halben Jahr in Ilmenstett ihre Praxis eröffnen können, wir hätten uns zum zweiten Mal aus den Augen verloren, weil Ilmenstett eine belanglose Kleinstadt jottwehdeh ist, und natürlich hätten wir niemals solche Leute wie die Özyilmaz oder den Bauern Holzapfel kennengelernt, auf dessen Streuobstwiese unsere Zukunft lag; aber an diesem Abend machte Adam mit zauberischer Selbstverständlichkeit den entscheidenden Schritt in Richtung auf diese Streuobstwiese.

Er sagte, lasst uns das doch mal durchrechnen.

Abenteuerlich, sagte Fritzi, nachdem er ihr auf ein paar Seiten etwas zusammengekritzelt hatte, das alles andere als ein Kostenvoranschlag war.

—

Klar, sagte Adam, aber lässt sich machen.

Fritzi wusste nicht, ob es machbar wäre, was Adam ihr da skizziert hatte.

Das Leben gibt's nicht nach Maß, sagte Adam, und dann setzte er feierlich nach: Lass uns das Ding drehen, lass uns über Los gehen.

Fritzi sah ihn an, als wäre er nicht ganz dicht.

Ton Steine Scherben, sagte ich, um sie zu beruhigen.

Ich war inzwischen schon etwas daran gewöhnt, dass es das Leben mit Adam nicht nach Maß gab und dass er gelegentlich Dinger drehte, und ich sah, wie Fritzi sich nicht entscheiden konnte, ob das ein verlockendes Abenteuer oder ein beunruhigendes war, was Adam ihr eben vorgerechnet hatte; man konnte ihr dabei zusehen, wie sie schwankte.

In den Achtzigerjahren schwankten viele hin und her, wenn sie aus den Siebzigerjahren und direkt von der Uni in der Welt ankamen, die damals überhaupt kein Abenteuer war, weder verlockend noch beunruhigend, sondern eine einzige Schlaftablette mit dick buntem Zuckerguss drum herum. Adam hat vermutlich recht, wenn er sagt, in den Achtzigern fing die Verdummung an, das gesamte Einheitsbreiprogramm, und eigentlich verlangte die Welt nichts weiter von einem, als dass man sie runterschluckte, eine Schlaftablette jeden Tag, und dann ziemlich schnell zugedröhnt war und anfing zu vergessen, was man Ende der Siebzigerjahre gewusst hatte und wovon alle heute staunen, dass es so ist, weil sie vergessen haben, dass sie selber schon in den Siebzigerjahren gewusst hatten, wie es kommen würde. Roundup Ready. Tote Erde, Speisung der Assis, Alten und Armen an den barmherzigen Tafeln.

Zehn Jahre Schlaftabletten, sagt Adam, danach bist du schon ziemlich jenseits, und in den Neunzigerjahren, als man allmählich hätte aufwachen und sich die Augen reiben können, fing ziemlich zügig der Spaß an, der Kick, der Fun, das elende Tittytainment-Programm, und damit war der Zug dann natürlich abgefahren.

Fritzi überlegte eine ganze Weile, ob sie das Leben nach Maß, mit tadellosem Finanzierungsplan, Geld von der Bank, Zinsen, zahlbar auf dreißig Jahre, oder lieber abenteuerlich haben wollte, verlockend oder beunruhigend oder beides, egal.

Während sie innerlich schwankte, legte Adam Die Ärzte auf, und spätestens bei Mysteryland fingen wir an, von einem Leben jottwehdeh in Ilmenstett zu träumen.

Wer feige ist, hat Mut. Nur was billig scheint, ist gut.

Die Ärzte waren damals mit ein paar ihrer Songs auf den Index gekommen, es ging ihnen gerade ziemlich dreckig, und deshalb hatte Adam sich ihre LPs gekauft, die Ton Steine Scherben und ein paar andere Gruppen hatte er sich allmählich auf dem Flohmarkt zusammengestoppelt.

Als ich ihn kennenlernte, hatte er außer einer alten Kinderlieder-LP von seiner kleinen Schwester und einer mit Hoffmanns Erzählungen überhaupt keine Platten, Hoffmanns Erzählungen war ein Geschenk seiner Mutter, und als ich mich einmal wunderte, warum ausgerechnet Platten das Einzige wären, was er nicht sammelte, sagte er, weil dafür die Batschkapp und der Elfer da sind, wenn du die hast, brauchst du nicht mal einen Plattenspieler; aber seit Anatol auf der Welt war, waren die Batschkapp und der Elfer etwas anderes als vorher.

Es fühlt sich nicht mehr richtig an, sagte Adam, wenn er hingegangen war und schon kurz nach Mitternacht zurückkam; es machte ihm keinen Spaß mehr, bei den Liedern mitzugrölen, und nachdem Anatol angefangen hatte zu sprechen, ging er gar nicht mehr hin. Ich glaube, er beschloss, nicht mehr hinzugehen, wie man beschließt, mit dem Rauchen aufzuhören. Plötzlich ist der besondere Tag da, und dann ist es vorbei mit dem Rauchen oder dem Grölen in der Batschkapp, und tatsächlich war der Tag, an dem Anatol anfing zu sprechen, ein sehr besonderer Tag.

Andere Kinder sagen als erstes Wort Mama. Nicht so Adam Czupeks Sohn.

Anatol fing mit dem Sprechen an, nachdem er den Hammer gefunden hatte. Es war Adams Hammer; Adam hatte ihn offenbar wegzuräumen vergessen, nachdem er mir die Waschmaschine angeschlossen hatte, die ihm keine Ruhe gelassen hatte, und als sie dann schließlich lief, musste ich zugeben, dass es eine Eins-a-Waschmaschine war und kein Fachmann sie besser hätte anschließen können. Der Gummihammer wird noch in der Küche herumgelegen haben, denn aus der Küche drangen dumpfe Geräusche zu mir herüber, nicht die ehemaligen Poltergeräusche meiner rasenden Ex-Waschmaschine, weil die neue tadellos leise lief; dies hier waren rhythmische, dumpfe Geräusche, die ich wahrscheinlich eine ganze Weile lang nicht gehört hatte, weil ich in ein Buch vertieft war, und damals glaubte ich noch an Sprache, obwohl sich damals ihre Halbwertszeit rasant zu verkürzen begann, trotzdem glaubte ich noch eine ganze Weile daran. Natürlich wusste ich, dass die Welten in Romanen nicht wirklich waren, und dennoch bin ich oft so in einer dieser Welten versunken gewesen, dass ich nichts um mich herum wahrgenommen oder gehört habe, da konnte neben mir ein Presslufthammer dröhnen oder die Waschmaschine im Schleudergang rattern; aber irgendwann fiel mir auf, dass Anatol nicht im Zimmer war, und sofort hörte ich die rhythmischen Geräusche und wusste im selben Moment, dass sie nichts mit der Waschmaschine zu tun haben konnten und bitte nichts mit Anatol zu tun haben sollten, weil es Geräusche waren, die nicht zu einem Kind passen, das soeben gerade laufen gelernt hat, bitte nicht, und wie ich in die Küche stürze, steht da ein unglaublich kleines Kind; es ist viel kleiner, als ich es in Erinnerung habe, als es vor einer halben Stunde noch war, und dieses sehr kleine Kind hat ein Werkzeug in der Hand, das mir immer schon unhandlich groß und schwer vorkommt, wenn Adam damit arbeitet, aber jetzt ist es riesig geworden, und der Miniaturmensch vor mir ist hochrot im Gesicht und vermutlich in einem Rausch; er haut mit diesem monströsen Ding auf die Wand zur Speisekammer ein, in der ganz ruhig die Waschmaschine läuft.

Ich sage, was machst du denn da, obwohl auf den ersten Blick klar ist, was Anatol da macht, er ist im Begriff, die Küchenwand einzureißen und unsere Küche mit der Speisekammer zu einem einzigen Raum zu verbinden, das Projekt ist kurz vor dem Durchbruch und hat seine ganze Kraft in Anspruch genommen; nur sprachlich ist er seinem Vorhaben noch nicht ganz gewachsen; er zeigt mir strahlend den Hammer, haut ihn zweimal gegen die Küchenwand, dass das Mauerwerk nur so rieselt, mit dem Putz ist er schon länger fertig; dann unterbricht er sein Werk und sagt das erste Wort seines Lebens.

Daudau, sagt er, und nichts ist ihm dringlicher, als dass ich verstehe, was für ein einzigartiges Werkzeug er da gefunden und sofort seiner Bestimmung zugeführt hat.

Daudau, sagte ich etwas mutlos angesichts des

Schutts in der Küche, und als Adam am Abend von der Arbeit kam und sich ansah, was Anatol angerichtet hatte, und zwar mit einem Gegenstand, dem er sein erstes Wort gewidmet hatte, während andere Kinder Mama sagen, war er maßlos stolz.

Ich sagte, das nennt man kanonisches Lallen, Mama, Papa, Wauwau. Sie fangen alle zweisilbig an mit dem Sprechen.

Das nennt man ganze Arbeit, sagte Adam, dem es egal war, was Anatol gesagt oder kanonisch gelallt hatte, das Entscheidende war, dass er beinah die Wand durchbrochen hätte, die Adam an einem der nächsten Tage würde restaurieren und neu verputzen müssen.

Ich glaube, nach dieser bedeutenden Leistung seines Sohnes fühlte sich Adam zu erwachsen für die Batschkapp und den Elfer.

Ton Steine Scherben und Die Ärzte fühlten sich aber weiterhin richtig an, obwohl sich die Scherben schon längst aufgelöst hatten und Die Ärzte sich demnächst auflösen und damit Adam sehr in seiner Überzeugung bestätigen würden, dass Sprechen nichts bringt. Die Texte kann er bis heute auswendig.

Die Scherben waren irgendwann aus der Stadt weg und aufs Land gezogen. Ich nehme an, dass Adam daran dachte, als er Fritzi die Blätter hinschob, die alles andere als ein Kostenvoranschlag waren, und nach Mysteryville träumten wir noch eine Flasche Rotwein lang weiter von Ilmenstett.

Wir hatten bis dahin nur in der Stadt gelebt. In einer großen Stadt, die keine Helden hat, sangen die Scherben, und wir hatten nichts dabei gefunden, keine Helden zu sein, auch wenn es Fritzi lieber gewesen wäre, wenn der Mann in Paris sich hätte scheiden lassen, anstatt so banal verheiratet zu bleiben, aber jetzt würden wir Helden werden, nachdem die Scherben aufgegeben hatten und es den Ärzten so dreckig ging. Ilmenstett, wir kommen. Und mitten in diesen Traum hinein kam plötzlich Anatol barfuß in die Küche und hatte Hunger. Adam schnitzte ihm mit dem Küchenmesser ein Krokodil, weil Anatol Bananen nur noch essen mochte, wenn sie Krokodilform hatten, seit Adam ihm einmal vorgemacht hatte, wie man eine Banane in ein Krokodil verwandelt, und nachdem er sich mit dem Bananenkrokodil von oben bis unten eingesaut hatte und danach frisch umgezogen war, dachte Anatol nicht daran zu schlafen, weil Kinder es lieben, wenn abends Besuch kommt, und wir hätten lieber bei der Flasche Rotwein weitergeträumt, aber jetzt waren die Kinderlieder dran, die Adam schon seiner kleinen Schwester vorgesungen hatte, wenn seine Mutter in der Klapse war und er sich in der Zeit um die Kleine kümmerte und sie ins Bett brachte.

Adam kann überhaupt nicht singen, aber Anatol war verrückt danach, von ihm das Bratkartoffellied mit den drolligen Reimen zu hören, Bratkartoffeln mit Melone, Bratkartoffeln mit Zitrone. Bratkartöpfe, Bratkarzöpfe, und Fritzi kannte das Lied nicht und musste lachen, als sie es an dem Abend hörte, Bratkartoffeln in Gelee, dazu Bratkartoffeltee.

Ich lach mich bratkartot, sagte sie, als Anatol schließlich schlief und wir alle selbst zu müde waren, um weiter von Ilmenstett-Mysteryland zu träumen.

Ist noch die alte LP von meiner kleinen Schwester, sagte Adam, als Fritzi schon aufgestanden war, und bevor sie ging, sagte Fritzi, hast du vielleicht auch Brüder?

Kurz bevor wir dann alle zusammen nach Ilmenstett gingen, sah ich in einem Spielzeugladen ein Rutschauto, das gelb, rot und blau war, sehr bunt und fröhlich. Als hätte Mondrian es entworfen.

Adam hatte zu der Zeit eine Technik entwickelt, mit der er im Drogeriemarkt zwei Packungen Windeln zum Preis von einer kaufte. Ich fragte ihn gelegentlich, wie er es machte.

Nicht, dass du erwischt wirst und wir dann Ärger bekommen, sagte ich.

Er sagte, keine Angst, ist vollkommen ungefährlich, aber er sagte mir nie, wie er es machte.

Als ich das kleine Rutschauto im Schaufenster sah, das so gelb, blau und rot war, als hätte Mondrian es entworfen, dachte ich daran, dass Adams Windelkauftechnik uns eine Menge Geld gespart hatte. Ich hätte das Auto natürlich auch einfach kaufen und gar nichts dazu denken können, aber ich dachte an das eingesparte Windelgeld und fand, dass ich einen Teil davon in das Rutschauto stecken könnte, und später könnte Magali es dann schließlich auch haben. Es erschien mir vernünftig, war aus robustem Plastik und sah aus, als würde es etwas aushalten, und mit dem Rutschauto in der Hand ging ich nach Hause.

Oben stand Adam mit Magali auf dem Arm.

Ist es nicht schön, sagte ich auf dem letzten Treppenabsatz und hielt mein Rutschauto in die Höhe.

Sieht aus wie gekauft, sagte Adam voller Anerkennung.

Ist gekauft, sagte ich.

Anatol wuselte an den Beinen seines Vaters vorbei und fand das Rutschauto auch sehr schön, aber Adam zog die Augenbrauen zusammen.

Wie viel, sagte er, und ich sagte, neunundzwanzig neunzig.

Dreißig Mack, sagte er, schlug sich fassungslos die Hand vor die Stirn und war entsetzt über die ungeheure Summe.

Kann man ja noch umtauschen, sagte er dann, und ich sagte, Anatol sieht nicht so aus, als ob er das noch umtauschen möchte.

Adam sah nicht so aus, als ob er den Kauf einer Plastikspielware hinnehmen würde, deren Wucherwährung er nicht einmal bei ihrem korrekten Namen nennen mochte; ich hielt den Erwerb eines Rutschautos im Wert von dreißig Mark zunächst für eine Lappalie und jedenfalls für vertretbar, Anatol wollte sein neues Fahrzeug sofort im Straßenverkehr ausprobieren; danach, soviel war klar, würden wir es ganz sicher nicht mehr umtauschen können, und Magali fing an zu weinen.

Der Erwerb dieses Rutschautos war alles andere als eine Lappalie, und als die Kinder längst schliefen und wir wieder in der Küche saßen, rangen wir um dieses Rutschauto, als gäbe es nichts Wichtigeres auf der Welt, als um ein Kinderspielzeug zu ringen, und vielleicht gab es auch wirklich nichts Wichtigeres an diesem Abend. Vielleicht hätten wir Ilmenstett tatsächlich gleich vergessen können, wenn wir nicht mit dem Rutschauto schließlich doch noch fertig geworden wären.

Du kannst Ilmenstett gleich vergessen, wenn wir damit anfangen wollen, unser Geld für ein wertloses Stück Plastik zu verballern, sagte Adam zornig. Ich hatte Adam bis dahin überhaupt noch nie zornig gesehen und gar nicht gewusst, dass er zornig werden konnte. Es war nicht der launische Jähzorn, den ich von meinem Vater kannte und der jeden erwischen konnte, der ihm in dem Zustand in die Quere kam, egal, ob in der Firma oder zu Hause, dieser Jähzorn, der mit Brillenputzen begann, wer denkt ihr eigentlich, dass ihr seid, und damit endete, dass man sein Wunder erlebte und danach nicht mehr wusste, wer man war. Adams Zorn machte mir fast noch mehr Angst. Er war dunkel und tief, und er traf genau. Er tat weh, aber obwohl er wehtat und ich mich vor ihm fürchtete, ließ ich das Stück Plastik nicht auf mir sitzen, weil Anatol seine Freude an dem Rutschauto hatte. Ich sagte etwas von hochwertig und TÜV-geprüft und erwähnte verschiedene Gegenstände unklarer Herkunft und Bestimmung, die im Keller und Dachboden dieses Hauses hier eingelagert waren und deren tieferer Sinn und Nutzen sich mir noch niemals erschlossen hatte, Stecheisen, Betonmischmaschinen, Gartenbänke.

Alles Müll, sagte ich und merkte im selben Moment, dass ich mich anhörte wie meine Mutter.

Adam sagte, alles Eins-a-Qualität und hat keinen Pfennig gekostet.

Ich brachte das rostige Fahrrad mit dem abgebrochenen Stützrad ins Gespräch, von wegen Eins-a-Qualität, damit kann sich das Kind den Hals brechen, das Rutschauto ist nagelneu, und nach einer Weile merkte ich, dass wir nicht mehr wie sonst miteinander sprachen, um uns und die Welten zu verstehen, aus denen wir kamen und in die wir mit unseren Kindern auf dem Weg waren, sondern wir hatten uns beide allmählich ziemlich hochgeschaukelt, hochgerüstet, und plötzlich war das ein Krieg. Marine, Luftwaffe, Artillerie, einmal alles. Adam hatte es geschafft, mir innerhalb kürzester Zeit dunkelschwarz fremd zu werden, vielleicht war ich es auch, die es geschafft hatte, mir Adam fremd werden zu lassen, was hatte ich mit diesem fremden Mann zu tun, der mich daran hindern wollte, meinem Sohn ein Geschenk zu machen, was hatte dieser Mann in meiner Küche zu suchen, in die er überhaupt nicht gehörte; meine eigene Küche war mir plötzlich verdunkelt, als würde ich sie nicht kennen, ich fühlte mich in dieser Küche und bei Adam nicht mehr zu Hause, sondern war aus der Liebe, dem Leben und der Welt herausgefallen. So viel Trostlosigkeit, dachte ich, und das bloß wegen eines albernen bunten Rutschautos, eines gottverdammten Kinderspielzeugs, meinetwegen eines Stückes Plastik.

Das bunte Stück Plastik war aber inzwischen nicht mehr albern oder harmlos, sondern eine gefährliche Bombe geworden, und ich konnte mir nicht vorstellen, wie wir die jemals würden entschärfen können.

Mitten im Gefecht hielt Adam plötzlich inne.

Es wurde still.

Ich streich den Himmel blau für dich, sagte er leise mit weicher Stimme in die verdunkelte Küche hinein.

Ich traute dem Frieden nicht.

Klar doch, sagte ich, du holst den blauen Mond für mich.

Inzwischen kannte ich die Liedtexte auch schon ganz gut.

Nur kaufen, sagte Adam sanft und bestimmt, kann ich sie nicht, nicht den Himmel, nicht den Mond, nicht die Sterne.

Und am nächsten Tag haben wir das bunte Rutschauto nicht umgetauscht. Anatol ist nur ganz kurz darauf herumgerutscht, weil Adam ihm dann den alten Roller mitgebracht und hergerichtet hat, mit dem er so lange auf Holzapfels Hof und später mit Bora durch Ilmenstett gefahren ist, bis ich schon dachte, er wird niemals auf sein Fahrrad steigen. Nach ihm hat Magali das Auto übernommen und ist damit durch Fritzis und Holzapfels Haus und hinter dem Haus durch den Garten gewuselt. Unter dem aufklappbaren Sitz ihres Cabriolets hatte sie ihre Arbeitshandschuhe, die kleine Plastikschippe und ihre Minigießkanne verstaut. Praktischer Werkzeugkoffer.

Meine Mutter war misstrauisch, als sie eines Abends anrief und hörte, dass wir mit einer Freundin nach Ilmenstett ziehen würden. Es begann die bekannte Inquisition.

Was ist das denn für eine Freundin, sagte sie. Was macht denn die Freundin beruflich?

Ich sagte es ihr.

Fritzi, sagte sie, als sie den Namen hörte, um ein für allemal klarzustellen, dass sie das Vorhaben missbilligte. Was für ein Operettenname.

Operette stand auf der Skala der kulturellen Nichtswürdigkeiten bei meiner Mutter nur einen Hauch über dem Schlager, also praktisch am Abgrund der Barbarei, und wenn Fritzis Eltern ihrer Tochter diese Entgleisung von einem Namen gegeben hatten, dann konnte einem das arme Wesen nur leidtun und war gestraft fürs Leben.

Ich schwieg und hoffte, dass es damit erledigt wäre, aber sie bohrte weiter.

Eine WehGeh, sagte sie gedehnt. Und das in deinem Alter. Die Zeit der WehGehs ist doch glücklicherweise vorbei.

—

Sie kann es einfach nicht lassen, dachte ich, aber irgendwann ist es auch mal genug.

Inzwischen ist eher das Singleleben in Mode, sagte ich. Das saß. Einen Moment lang war es am anderen Ende der Leitung ganz ruhig. Ich hatte nie in einer Wohngemeinschaft gewohnt, weil es in allen Wohngemeinschaften, die ich kannte, Diskussionen darüber gab, wer was machen sollte, und alle Bewohner von Wohngemeinschaften Handarbeit etwa so hassten wie meine Eltern. An den Kühlschränken hingen Pläne, auf denen stand, wer mit dem Einkaufen, Kochen und Abwaschen dran war, und nie wurden die Pläne eingehalten, nie war der Müll runtergebracht oder das Klo geputzt, und nicht nur die Pläne waren ein Problem, sondern die Kühlschränke selbst, an denen diese sinnlosen Pläne hingen, waren mindestens solche Bomben wie das Rutschauto zwischen Adam und mir, weil Bewohner von Wohngemeinschaften offenbar allesamt nachts den Drang hatten, zum Kühlschrank zu schleichen, der nur zur Hälfte ein Gemeinschaftskühlschrank war; diese Hälfte war wegen der nicht eingehaltenen Pläne meistens nicht gut bestückt, aber die andere Hälfte war privatisiert; es waren Namensschildchen in den Kühlschränken angebracht, und hinter diesen Namensschildchen sammelten die einzelnen Bewohner jene Viktualien, die sie nur für sich selbst angeschafft hatten, und natürlich erregten genau diese Lebensmittel die Neugier und den Neid der anderen, und in allen Wohngemeinschaften, die ich kannte, entwickelten die Bewohner die besondere Angewohnheit, ausgerechnet nachts an die Kühlschränke zu schleichen und die Leberwurst oder den Camembert zu inspizieren und gegebenenfalls zu vertilgen, die von ihren Mitbewohnern per Namensbeschilderung als deren Privateigentum gekennzeichnet waren. Und immer wenn mich jemand gefragt hatte, ob ich nicht in seine Wohngemeinschaft ziehen wollte, es sei gerade ein Zimmer frei, hatte ich gedacht, dass ich lieber morgens in Ruhe aufstehen und Kaffee trinken wollte, als jeden Morgen nicht zu wissen, ob ich diesen Kaffee im Kühlschrank überhaupt noch finden würde und anschließend ein Ermittlungsverfahren gegen Unbekannt würde einleiten müssen, ohne Kaffee getrunken zu haben.

Bevor ich eingewilligt hatte, mit nach Ilmenstett zu ziehen, hatte ich angedeutet, dass wir vielleicht besser zwei Kühlschränke haben sollten, und zu meiner Erleichterung hatte Fritzi es selbstverständlich gefunden, dass wir zwei Kühlschränke und überhaupt zwei Haushalte haben sollten, damit sie wenigstens stundenweise Ruhe vor meinen entzückenden Blagen hätte. Sie hatte vorgeschlagen, die Räume des ersten Stocks zu nehmen, weil wir wegen der Kinder und der Buggys und Rutschautos besser im Erdgeschoss wohnten, und oben wäre dann Platz für die Praxis.

Ungefähr das sagte ich meiner Mutter, als sie von der WehGeh anfing, aber sie ließ noch immer nicht locker.

Psychologin ist deine Freundin also, sagte sie.

—

Ich sagte nicht, dass Fritzi so ziemlich alles, was sie an der Uni gelernt hatte, für Rattenpsychologie gehalten hatte, sondern erwähnte, dass sie inzwischen sogar Psychotherapeutin geworden war, einwandfrei approbiert mit Zulassung und mit Stempel, aber nun hatte meine Mutter gelesen, dass bei den Psychologen alle Ehen auseinanderkrachen, jedenfalls mehr als bei anderen Leuten.

Ich sagte, wer im Glashaus sitzt. Deine Ehe war, soweit ich mich erinnere, auch nicht gerade das Gelbe vom Ei; aber meine Mutter erinnerte sich inzwischen nicht mehr daran, dass ihre Ehe keineswegs das Gelbe vom Ei gewesen war; nachdem ich ausgezogen war, schleppte sie sich noch ein paar Jahre hin, mein Vater kam immer später nach Hause, gelegentlich klingelte abends das Telefon, und wenn meine Mutter den Hörer abnahm, blieb es am anderen Ende stumm; meine Mutter fing an, in den Jacken- und Manteltaschen meines Vaters nach Spuren zu suchen, Restaurantrechnungen für zwei, Opern- oder Kinokarten, was weiß ich, mein Vater hatte niemanden mehr im Hause, vor dem er den Big Boss spielen konnte, und in der Firma kursierten die ersten Übernahmegerüchte.

Euer Vater gönnt sich eine gediegene Midlife-Crisis, sagte meine Mutter, wenn ich fragte, wie geht's euch. Sie war die meiste Zeit nur noch gereizt, und mein Vater sagte abfällig, wenn sie nicht bald ihre Hormone in den Griff kriegt.

Was dann, sagte sie.

In diesen letzten Jahren ihrer Ehe tat mir mein

Vater manchmal leid, und ich dachte, sie treibt ihn förmlich aus dem Haus, aber mein Vater würde schon wieder jemanden finden. Meine Mutter wohl kaum. Inzwischen hatte sie das alles vergessen und offenbar vom ersten bis zum letzten Tag eine Bilderbuchehe geführt, die ihr so leicht niemand nachmachen würde.

Eine Bilderbuchehe, sagte sie, um die uns alle Bekannten und Kollegen übrigens beneidet haben.

Ich konnte mich an keine Bekannten erinnern und überlegte, ob ich sie danach fragen sollte, außerdem interessierte mich, wie sie es sich erklärte, warum ihr Mann aus dieser Bilderbuchehe abgehauen war, aber ich hatte keine Lust, mit meiner Mutter in die Wolle zu geraten, also sagte ich, dass Fritzi nicht verheiratet sei und also keine Gefahr bestünde, dass ihre Ehe in absehbarer Zeit auseinanderkrachen würde.

Du musst es wissen, sagte meine Mutter schließlich. Sie war endgültig eingeschnappt und beleidigt.

Nicht unbedingt, sagte ich, aber wir werden es ja dann sehen.

Meine Mutter sagte, die armen Kinder können einem leidtun.

Als die Mauer fiel, waren wir schon jottwehdeh in Ilmenstett.

Hör mal kurz auf mit dem Krach, sagte Fritzi, als sie es in der Tagesschau sah. Sie hatte einen winzigen Fernseher mit Zimmerantenne, Adam stellte die Bohrmaschine ab, und dann starrten wir alle drei auf diesen Minikasten von einem Fernsehapparat und überlegten, ob wir das eben wirklich gehört hatten, wir sahen den Mann, der gerade mit einem lächerlichen Gestammel die Mauer weggeräumt hatte; er war offensichtlich verwirrt. Fritzi sagte, der überlegt auch, ob er das wirklich gesagt hat, aber jetzt hatte er es gesagt, wir hatten es gehört, und Adam war der Erste, der es begriff.

Das war das, sagte er.

Was soll das denn heißen, sagte Fritzi, und Adam sagte, ab jetzt wird Monopoly gespielt.

Scheißspiel.

Ich weiß nicht, ob es mit Ilmenstett zu tun hatte oder mit dem Mauerfall und Adams Feststellung, ab jetzt wird Monopoly gespielt; sicher ist aber, dass wir Ende Oktober in Mysteryland angekommen waren und ein einziges großes Abenteuer begann.

Deine Sehnsucht hat jetzt Sinn, nimm sie mit, du weißt, wohin.

Natürlich dauerte es eine ganze Weile, bis ich das begriff; Fritzi wohnte provisorisch im ersten Stock ihres Hauses, wir wohnten im Parterre, und bei Fritzi oben regnete es durchs Dach.

Adam sagte, du kannst es dir aussuchen: Entweder wir schleifen erst die Böden ab, restaurieren den Stuck und bauen dir eine Küche ein, oder ich schau mir zuerst mal das Dach und das Mauerwerk an und dann als Nächstes die Leitungen.

Schon gut, sagte Fritzi. Und als mit großem Tamtam und pathetischem Drum und Dran sehr geschichtlich die Neunzigerjahre anfingen, lebten wir alle im herrlichsten Chaos, weil Adam Fritzis Haus derart auf den Kopf stellte, dass man nicht mehr wusste, wo oben und unten war; wenn du vorgestern noch dachtest, da und da ist eine Wand, und dahinter kommt ein Zimmer, dann war die Wand heute plötzlich weg und der Raum von eben auf jetzt völlig verändert. Anatol glühte vor Begeisterung, wenn es darum ging, Wände einzureißen. Adam lobte ihn für seine Hilfe. Daudau. Hinterm Haus stapelten sich die Balken und Paletten mit Ziegeln und Steinen. Sehr bald lernten wir den Bauern Holzapfel kennen, der einmal quer über die große Streuobstwiese hinter Fritzis Haus seinen Hof hatte. Den Hof, die Stallungen und die Scheunen. Auf der Streuobstwiese gab es ein paar Schafe, sechs Ziegen und einen sehr eindrucksvollen Bock.

Nachdem Adam sich die Strom- und Wasserleitungen in Fritzis Haus angesehen hatte, sagte er, tut mir leid, aber dabei kann ich Anatol nicht gebrauchen. Er nahm ihn auf den Arm, zeigte ihm durchs Fenster die Tiere, und dann sagte er, also ab mit euch nach draußen, und wir gingen zur Wiese und zu den Schafen und Ziegen.

Wenn Adam Anatol gebrauchen konnte, beglei-

—

tete ich Fritzi dabei, wie sie Ilmenstett sondierte, das bislang ohne ihren psychotherapeutischen und meinen logopädischen Beistand hatte auskommen müssen, aber meistens machte sie die Tour allein, Apotheken, Praxen, Krankenhaus und Schulen, weil ich Adam zur Hand gehen oder Anatol davon abhalten musste, ihm seinerseits bei etwas Gefährlichem zur Hand zu gehen. Die Wiese und der Wald dahinter rochen nach Herbst, nach feuchter Erde, nach Tieren, Blättern und Moos.

Riecht ihr das, sagte ich, wenn ich mit Magali und Anatol zu den Tieren ging oder loszog, um etwas zu kaufen, was Adam für die Baustelle dringend brauchte.

Eigentlich brauchte er immer Klebeband.

Da seid ihr ja endlich, ihr drei gelben Kapuzen, sagte Adam, wenn wir zurückkamen.

Wie das riecht, sagte ich manchmal.

Ich will gar nicht wissen, was die Klebebandhersteller an uns verdienen, sagte Adam oft.

Als ihm eines Tages der Sechserbohrer abbrach, sagte er, ich wollte sowieso eine Pause machen, und so packten wir die Kinder ein, und er ging mit seinen drei gelben Kapuzen zu der herbstlich duftenden Wiese. Anatol und Magali begrüßten die Ziegen, die inzwischen schon so zutraulich geworden waren, dass Anatol sie streicheln konnte, und irgendwann sagte Adam, lass uns doch mal rübergehen zum Hof, ist schließlich unser Nachbar; kann man doch mal Guten Tag sagen. Hat ja vielleicht einen Sechserbohrer.

Es fisselte, und bis wir auf den Hof kamen, regnete es richtig.

Der Bauer Holzapfel hatte einen Gummihut auf und bastelte an einem Trecker. Scheißwetter, sagte er, als er uns sah.

Anatol wurde an Adams Hand zappelig und fing aufgeregt an zu plappern, und nach einer Weile begriff ich, dass unser Sohn soeben seinerseits in Mysteryland angekommen war, einem Paradies aus mehreren Generationen Traktoren, einem Mähdrescher, dem Nachkriegsdefender der allerersten Generation, mit dem Holzapfel durch die Gegend fuhr, einer uralten Pferdekutsche und einem überquellenden Durcheinander von mehr oder weniger rostigen Apparaten und Gerätschaften, die Anatol auf der Stelle erkunden musste, weil das hier etwas anderes war als die bunten Busse, Kräne oder Doppeldecker, die er aus der Stadtbücherei kannte und die brav und ordentlich brumm brumm oder tatütata machten. Der LP 813 mit dem abgebrochenen Mercedesstern, der hier auf dem Hof stand, hatte nur noch Reste roter Lackspuren an sich, und wenn er überhaupt noch einen Piep von sich geben würde, klänge der sicher wüst und gefährlich.

Unser Nachbar war vielleicht Ende fünfzig, Anfang sechzig, er kam uns langsam durch den Regen entgegen und streckte uns eine schwarze Hand entgegen, die er vorher an seiner Arbeitshose abgewischt hatte, aber schwarz war sie danach immer noch, und der ganze Mann roch nach Getriebeöl.

Später saßen wir in seiner Küche und tranken Kaffee, während Anatol draußen herumkletterte und der Bauer Holzapfel sich auf die Suche nach einer Stecknadel im Heuhaufen machte.

Klar hätte ich einen Sechserbohrer, hatte er gesagt, als Adam gesagt hatte, dass seiner abgebrochen war, dann hatte er mit großer Geste auf seine Küche gezeigt, in der alle möglichen Dinge herumlagen, von denen ich nicht gedacht hätte, dass sie in eine Küche gehörten, von manchen Dingen wusste ich nicht einmal, was es war.

Klar hätte ich einen Sechserbohrer, fragt sich bloß, wo.

Irgendwie kommt mir das Durcheinander bekannt vor, sagte Adam.

Ich beobachtete durchs Fenster, wie Anatol im strömenden Regen das Paradies in Beschlag nahm, und der Bauer Holzapfel seufzte.

Ich werde den Hof wohl verkaufen müssen, sagte er.

Na, na, sagte Adam, mal nicht.

Während seiner Suche nach dem vermaledeiten Sechserbohrer erfuhren wir in Bruchstücken alles Nötige über unseren Nachbarn: die Frau schon drei Jahre tot, mit achtundvierzig einfach umgefallen, Hirnschlag und aus und vorbei, der Sohn in die Stadt abgehauen, wollte den Hof sowieso nie übernehmen, die Lehre zum Karosserielackierer geschmissen; schon zu zweit hatten der Bauer und seine Frau die Arbeit am Ende hier kaum mehr geschafft, aber ohne seine Frau steht ihm inzwischen das Wasser bis zum Hals, und dann die Viecher und das ganze Durcheinander.

Allein kriegt man das nicht geregelt, sagte Holzapfel. Wozu auch.

Darauf wussten wir nichts zu sagen, und er fuhr fort: Landwirtschaftlicher Kleinstbetrieb. Sechseinhalb Hektar. Kann man heutzutage nicht mehr von leben, kann man verhungern dran.

Er nahm ein grünliches Samtkissen von einem Stuhl und zeigte auf die geflochtene Sitzfläche darunter, die diagonal ein- und an einer Seite abgerissen war, die Hälfte der Sitzfläche baumelte lose nach unten. Dann sagte er, ist eigentlich ein guter Stuhl, zu schade, um auf dem Müll zu landen. Müsste nur mal gerichtet werden.

Das wird sich machen lassen, sagte Adam.

Inzwischen war Anatol nass bis auf die Knochen und von oben bis unten eingematscht, aber selig, und als wir uns verabschiedet hatten, wieder im Regen standen und er begriff, dass wir wirklich und tatsächlich dieses Paradies hier verlassen und ihn mitnehmen würden, ging er entschlossen und mit finsterer Miene in Sitzstreik. Adam nahm ihn hoch und setzte ihn sich mit einem Schwung auf die Schulter, wo er jaulend und strampelnd weiter protestierte. Der Bauer Holzapfel fuhr ihm mit seinem rissigen Zeigefinger über die Backe und sagte, nun weine mal nicht, mein Kleiner, kannst doch jederzeit wiederkommen.

—

Gut, dass wenigstens da drüben jetzt wieder Leben einzieht, sagte er eher zu sich selbst als zu uns, und ich hörte, wie er sich darüber freute, dass zu diesem Leben ein kleiner Junge gehörte, der mit dem alten Gerümpel auf seinem Hof so glücklich zu machen war, dass er gar nicht mehr weg davon wollte. Ich dachte an meinen eigenen Vater, der längst abgehauen war, vermutlich irgendwo im Süden Golf spielte und seine Enkelkinder nicht kennenlernen würde.

Vielen Dank, da möchte einer sehr gerne wiederkommen, sagte ich.

Adam hielt den Sechserbohrer hoch und sagte, na dann, bis bald einmal, ich brauch ihn nur ein paar Tage.

Der Bauer Holzapfel sah Anatol an und sagte, für dich hätt ich noch was, junger Mann, dann hob er ihn von Adams Schultern und nahm ihn an der Hand.

Anatol mochte es überhaupt nicht, wenn ihn fremde Leute anfassten, schon im Kinderwagen hatte er angefangen zu brüllen, sobald sich jemand auf der Straße über ihn gebeugt und ihm im Gesicht herumgefummelt hatte, und ich hatte es eigentlich auch nicht gemocht, aber jetzt hörte er sofort mit seinem Protestgeschrei auf, wurde ruhig und ging zutraulich mit dem Bauern mit. Die beiden verschwanden in einem riesigen gemauerten Stall, und als sie wieder herauskamen, hatte Anatol eine Porzellanschüssel in der Hand.

Hat er selbst gefunden, sagte der Bauer.

Die Schüssel hatte einen Sprung.

Wo hast du die denn her, sagte Adam, als er die Eier sah, die Anatol selbst gefunden hatte.

Bisher hatte ich gedacht, dass Eier alle gleich aussehen, die weißen eben weiß und die braunen braun. Diese hier waren grün bis dunkelgrün und in Größe und Gewicht keines wie das andere.

Wir würden noch eine Menge lernen.

Das Sonderbare an Zeitgeschichte ist, dass diejenigen, die drinstecken, meistens nicht erfassen, was geschieht, ganz besonders nicht bei einem Zeitgeschehen, das in der Tagesschau von jemandem verkündet worden war, der offensichtlich selbst überhaupt nicht begriff, was er sagte, und deshalb nur ein dusseliges Gesicht machen und vor sich hinstammelnd ablesen konnte, was er auf seinen unleserlichen Spickzettel gekritzelt hatte. Im Nachhinein ist es geradezu lächerlich und läppisch, und das ganze Tamtam und pathetische Drum und Dran, mit dem dann die neue Weltgeschichte anfing, ändert nichts daran, dass sie versehentlich eines Abends von einem Mann eingeläutet und verkündet wurde, der am Nachmittag eine entscheidende Sitzung verpasst hatte und vor den Kameras seinen Satz nicht mal halbwegs zusammenbekam; und danach fingen die Neunzigerjahre erst einmal damit an, dass gründlich die Bösen aus dem bankrotten Land ausfindig gemacht und an den Pranger gebracht werden mussten, und in dem neuen Land war von eben auf jetzt niemand mehr irgendwie links. Ich habe nie richtig verstanden, wie schnell das gegangen ist, praktisch über Nacht, aber schließlich war nach dem Krieg auch von eben auf jetzt niemand mehr Nazi gewesen, und die Nazis waren nicht nur irgendwie Nazi gewesen, sondern ausgewiesene Nazis mit Parteibuch, wenn nicht sogar SA oder SS, während die Linken, die ich in den Achtzigerjahren gekannt hatte, meistens nur irgendwie links gewesen waren. Das war eben die Wende.

Komischerweise war Adam nie irgendwie links gewesen. Nur gewohnt, draußen zu sein, als die meisten noch drinnen waren.

Und diese Wende jetzt war der Moment, in dem er anfing, sich Sorgen zu machen. Abends kam uns die Welt durch Fritzis kleinen Fernseher in ihr Zimmer, oft vergaßen wir, den Fernseher anzustellen, aber wenn wir ihn anstellten, gefielen Adam die Welt und die Zukunft nicht, die ihm und seinen Kindern angeboten wurden.

Ich fass' es nicht, sagte er und haute sich gegen die Stirn, während er mit dem Finger auf den Bildschirm zeigte, auf dem die neuen Automodelle in Genf vorgestellt wurden. Ich fass' es nicht, in zwanzig Jahren ist der Sprit alle, und die bauen munter V6-Motoren vor sich hin, 213 PS, wofür braucht der Mensch in Mitteleuropa einen Jeep mit V6-Motor,

—

der den letzten Sprit in die Luft verballert, nicht mal Holzapfel braucht einen Jeep mit V6, da tut's doch auch der alte Defender.

Wirtschaftssanktionen bringen mal gar nichts, ihr Idioten, sagte er in den Fernseher hinein, nachdem der Golfkrieg vorüber war; gar nichts bringen die; der Saddam hat mehr als genug zu fressen, und dem ist es so was von egal, wenn ihm die eigenen Leute verrecken. Das kommt dabei raus, das ist Massenvernichtung.

Mal im Ernst, sagte er zu mir: Wenn uns Magali oder Anatol wegen diesem Ami-Embargo verhungern würden, könntest du auf dem Arsch sitzen bleiben und Däumchen drehen? Ich bestimmt nicht.

Shareholder-Value, schimpfte er den Kasten an, Stock Optionen, Downsizing, Outsourcing, sagt doch gleich, was das wird. Arbeitsvernichtung.

Wenn der Sinn erst mal weg ist, kannst du den Verstand gleich hinterherschmeißen. Was für Wörter überhaupt, hör dir das bloß mal an: offshoren, Public Private Partnership. Immer raus damit. Müll ist das, warum sagt ihr nicht, dass ihr das Land ausblutet. Und nachher wundert ihr euch, dass keiner mehr irgendwas kann.

Aber wahrscheinlich ist das sogar der Sinn, überlegte er dann. Erst verblöden, dann verbluten lassen.

So wird's kommen, sagte er, dass ihnen der Laden irgendwann auseinanderkracht und um die Ohren fliegt; ehe wir's uns versehen, hält das nicht mehr fein säuberlich sortiert zusammen, oben, Mitte, unten. Dann geht's ans Eingemachte. Drinnen oder draußen. Nur darum geht's dann. Ein paar dürfen rein und malochen, der Rest bleibt draußen und muss vor den Glotzen nur hübsch komplett verblöden, sonst fliegen am Ende die Fetzen. Und das wollen wir doch nicht. Dass am Ende die Fetzen fliegen.

Was habe ich euch gesagt, sagte er. Das klingt nur anders. Joint Venture, aber wenn du nachschaust, ist es nichts als die rasende Fusionitis. Demnächst haben sie alles in einer Hand. Die Staaten, das Öl und die Nahrung. Petrochemie plus agropharmazeutische Großkonzerne. Na, dann gute Nacht.

Wer ist »sie«, sagte Fritzi.

Keine Ahnung, sagte Adam. Die Rockefellers halt oder sonst wer. Die, die übrig bleiben und einmal laut über die Welt rülpsen, wenn sie alle andern gefressen haben.

Ist da jemand womöglich ein bisschen paranoid, sagte Fritzi, und Adam sagte, das kannst du laut sagen.

Manchmal drehte er sich zu mir um und sagte, das sollen unsere Kinder lernen?

Das da, sagte er und zeigte auf das winzige Quadrat, das nach dem Börsengeschehen inzwischen längst beim Fußball war, das da geht mit Anlauf den Bach runter, das schaue ich mir nicht an.

Fritzi sagte, und was willst du dagegen machen.

Liebe und Widerstand, sagte Adam wie aus der Pistole geschossen.

Klingt sexy, sagte Fritzi.

—

75

Adam sagte, ich träum von süßen Düften, von Liebe und Widerstand.

Ich hatte das Gefühl, dass ihm die Ton Steine Scherben fehlten, seit sie sich aufgelöst hatten und Rio Reiser allein weitermachen musste, und als dann Die Ärzte wieder zusammenfanden, klangen sie nicht mehr so richtig kampflustig, wie Adam sie gekannt hatte und jetzt hätte brauchen können; eher waren sie deprimiert, in welcher Zeit sie angekommen waren. Kopfüber in die Hölle. Sehnsucht weg.

Zwei Jahre später fragten sie sich immer noch, wo krieg ich nur ein kleines bisschen Durchblick her, sie wunderten sich, wie viel Zeit der Mensch darauf verwendet, möglichst Dinge zu tun, die die Existenz beenden, und sie sahen, wie das Unheil sich überall türmte, aber da hatte Adam seinerseits längst den Durchblick wiedergewonnen und mit beiden Händen seinen Kampf gegen die geschändete Zeit aufgenommen, einen heroischen Kampf für seine Kinder, für Anatol und Magali, die er nicht ins Unheil werfen würde, und er war nicht allein in diesem Kampf, sondern hatte längst den Bauern Holzapfel und die Özyilmaz angesteckt und auf seiner Seite, und selbst Fritzi, die bis zum ersten Crash im neuen Jahrhundert skeptisch war und bis heute gern frotzelt, wenn Adam sich wieder was ausgedacht hat, selbst Fritzi und ich haben längst nur noch pro forma ein Konto bei der Bank, weil es um andere Dinge

—

geht, um Essen, Klamotten, um Arbeit und ein Dach überm Kopf.

Zunächst einmal sah Adam bei Holzapfel nach dem Rechten. Fritzi und ich fingen ambulant an, Geld zu verdienen. Die Diagnosen, mit denen meine Patienten kamen, hießen Parkinson, MS oder Lateralsklerose. Tinnitus. Downsyndrom. Die, die Krankheiten hatten, waren draußen, und sie lebten gefährlich, weil ihre Gesundheit in der neu angebrochenen Zeit kein Gut mehr war, sondern allmählich eine Ware und die Welt ein Markt.

Fritzi hatte es mit den Klassikern zu tun, Ängsten, Depressionen, Paarproblemen, Zwangsstörungen, dann kamen der Stress dazu und die Allergien, mit denen die Hautärzte nicht mehr zurande kamen.

Die Zeit der Analyse war längst vorbei, und niemand wunderte sich mehr darüber, dass Kohl gewählt und wiedergewählt wurde.

Wenn Adam sich bei Fritzi danach erkundigte, was genau sie mit den Patienten machte, weil er an seine Mutter dachte, die die meiste Zeit zugedröhnt war, sagte sie, keine Sorge, der Arzt, der deiner Mutter das Mandrax gegeben hat, müsste verknackt werden, und von mir kriegt auch keiner Neuroleptika; letztlich ist alles, was ich mache, mit den Leuten sprechen, und je nachdem, worüber, heißt es dann tiefen- oder verhaltenstherapeutisch, aber eigentlich nur für die Krankenkasse.

Mein allererster Patient war Nico Grosser.

Fritzi hatte bei einem ihrer Sondierungsgänge die Praxis Grosser besucht, in der ein kleiner Junge wild herumtobte.

Ist das Ihrer, hatte Fritzi die Arzthelferin gefragt.

Taubstumm, hatte die Arzthelferin gesagt. Der Sohn von der Frau Doktor.

Gehörlos, hatte Fritzi gesagt. Stumm ist ohne Stimme.

Ruth Grosser war gerade aus einem ihrer Behandlungsräume gekommen und lachte.

Nett, dass Sie das so genau nehmen, sagte sie.

Nico hatte schon mehrere Tagesmütter und ein Au-pair-Mädchen in die Flucht getrieben. Er war in Anatols Alter.

Im Augenblick, sagte Frau Grosser, können wir nichts anderes machen, als ihn mit in die Praxis zu nehmen.

Vielleicht doch, sagte Fritzi, und ein paar Tage darauf fuhr ich zu einem ersten Besuch zu den Grossers, die mit Nico und dem zehn Jahre älteren Manuel etwas außerhalb von Ilmenstett in einem Haus wohnten, zu dem unsere Jugendstilbank gut gepasst hätte, aber die lag noch immer auseinandergenommen bei Fritzi im Keller.

—

Kommen Sie rein, sagte Ruth Grosser. Ihr Mann und der große Sohn waren neugierig, wer sich an Nico diesmal die Zähne ausbeißen würde, sie waren mir aus dem Wohnzimmer entgegengekommen, und so standen wir alle vier in dem riesigen Flur voller Nussbaummöbel, Gallé-Vasen und -Lampen, an einer Wand hing ein goldener Klimt, aber ich hatte keine Zeit, mich umzuschauen, denn im ersten Stock krachte es gewaltig, und dann kam das Kind die Treppe heruntergerollt und -gepoltert. Es war eindeutig neben der Spur.

Schmeißt sich gern auf den Boden. Oder wirft mit Sachen um sich, sagte Manuel und musterte mich amüsiert.

Als Nico unten nach seinem Treppensturz aufschlug, blieb er einen Moment liegen, dann stand er auf, tat, als wäre nichts gewesen und als hätte er mich nicht gesehen, obwohl ich sicher war, dass er seine Vorstellung für mich gegeben hatte, und schließlich ging er an uns vorbei zu einem der prächtigen Schränke, öffnete ihn und fing an, ihn auszuräumen. Mäntel, Jacken, Schals, alles raus auf den Boden.

Ruth Grosser sagte, Sie sehen ja.

Nach getaner Arbeit wandte Nico sich seinem Bruder zu, nahm Anlauf, sprang ihn an, klammerte sich mit den Beinen an ihn wie ein kleines Äffchen und boxte ihm mit den Armen gegen die Brust.

Manuel hielt ihm die Arme fest und küsste ihn zart auf die Haare.

Plötzlich stieß der Kleine einen Schrei aus, dass

—
79

ich zusammenzuckte. Er kam von ganz tief aus dem Kind heraus, irgendwo aus einer Gegend, wo eigentlich keine Stimme sitzt und herkommen kann.

Ich hatte schon die sonderbarsten Töne gehört, sogar Urschreie nach Janov hatte ich Anfang der Achtzigerjahre gehört, aber so einen Schrei noch niemals.

Ich wartete einen Moment, bis der Schrei verhallt war.

Taubstumm ist er jedenfalls nicht, sagte ich dann.

Manuel sah mich an. Er wartete auf meine Entscheidung, und ich sagte, sieht so aus, als hätte ich keine Wahl.

Nachdem Fritzi und ich schon einigermaßen in Ilmenstett Fuß gefasst hatten, rief mich eines Tages Frau Fuchs an. Sie war Mitte fünfzig, Deutsch- und Englischlehrerin an der Realschule, hatte gerade eben eine achte Klasse übernommen und fragte, ob ich mir einen ihrer Schüler ansehen könne, der eine Schreibschwäche hätte. Ich sagte, dass ich nur für Sprechen, Stimme und Schlucken, aber nicht fürs Schreiben eine Zulassung hätte.

Am anderen Ende der Leitung lachte Frau Fuchs etwas gequält und sagte, wissen Sie, eigentlich habe ich auch nur für die Schule eine Zulassung und nicht für das Irrenhaus, in das ich hier jeden Tag gehe.

Als ich mit Adam später über die Zulassung sprach, sah er mich an, als käme ich von einem fernen Stern.

—

Zulassung, sagte er verächtlich. Was brauchst du eine Zulassung. Du bist doch du.

Also übernahm ich den Legastheniker.

Seinen Eltern gehörte das Gartencenter Wegener in dem neuen Gewerbegebiet zwischen Ilmenstett und Guntersbach.

Frau Wegener war eine resolute Frau.

Augen und Ohren ohne Befund, sagte sie statt einer förmlichen Begrüßung, dann rief sie Stephan und sagte, ich kann mich doch nicht um alles kümmern. Für die Zeit des Unterrichts überließ sie mir das Büro und beobachtete durch die Glaswände genau, was sich darin abspielte.

Stephan motzte in der ersten Stunde herum und machte mir klar, dass er keinen Bock auf meine Übungen hatte.

Von draußen sah Frau Wegener, wie ihr Sohn sich über den Tisch fläzte. Sie war misstrauisch.

Ich sagte, das findest du cool.

Ist doch eh alles egal, sagte Stephan. Es klang nicht cool.

So, sagte ich, na dann.

Stephan hatte etwas anderes erwartet. Ist doch eh egal, ich bin einfach zu blöd, sagte er.

Ich dachte daran, dass Nicos Schreiattacken abgeklungen waren, nachdem er und seine Familie das Fingeralphabet gelernt hatten und Nico langsam den Mut fand, Laute von sich zu geben, mit denen er sich verständlich zu machen versuchte, und jetzt war es gut, dass ich keine Zulassung fürs Schreiben hatte, sonst wäre ich vermutlich niemals auf die Idee

—

mit dem Fingeralphabet gekommen; aber tatsächlich hatte Stephan inzwischen einen solchen Horror vor dem Schreiben, dass er sich völlig verkrampfte und kaum mehr den Stift halten konnte, und so dachte ich einfach, wir könnten es mit dem Fingeralphabet probieren, und nach ein paar Wochen fing es wunderbarerweise an zu funktionieren, vom Buchstaben über die Hand aufs Papier.

Nach jeder Stunde legte Frau Wegener mir einen Briefumschlag mit dem Honorar auf den Tisch ihres gläsernen Büros, der Briefumschlag war ihr peinlich, deshalb packte sie jedes Mal etwas aus ihrem Gewächshaus darauf, mal sechs kleine Töpfchen mit Salat oder Tomaten oder sonst was, mal einen Container mit Rittersporn oder Akeleien. Ich bedankte mich und wusste nicht, was ich damit machen sollte, weil mir noch jede Pflanze, mit der ich es je versucht hatte, umgehend eingegangen war, aber das mochte ich Frau Wegener nicht sagen, also schenkte ich die Pflanzen jedes Mal anschließend dem Bauern Holzapfel, der sie brummig entgegennahm und sagte, was soll ich mit dem Grünzeug, wo ich den Hof doch demnächst verkaufe.

Irgendwann schrieb Stephan eine Drei, von der Frau Wegener offenbar allen berichtete, die im Gartencenter ihre Primeln und Geranien kauften, und Zulassung hin, Zulassung her, für Frau Wegener, Frau Fuchs und die Legastheniker in Ilmenstett wurde ich danach eine Anlaufstelle.

Nachdem Stephan seine mittlere Reife bestanden hatte, schenkte er mir eine Kette mit einer kleinen

—

silbernen Rasierklinge als Anhänger. Später kamen er und sein kleiner Bruder Kevin zu uns auf die Streuobstwiese ins Basislager.

Adam baute alles überschüssige Geld in Fritzis Haus ein, und wenn gerade nichts Überschüssiges da war, schaute er erst gelegentlich, dann immer öfter mit den Kindern beim Bauern Holzapfel vorbei, reparierte den Stuhl mit dem grünlichen Kissen und der herunterhängenden halben Sitzfläche, verpasste der Hacke einen neuen Stiel, sah die Gerätschaften durch und ölte einen alten Eichentisch, den er in einem Schuppen entdeckt hatte, und ganz allmählich wuchsen die drei in den Hof hinein, Magali spielte mit den Katzen und dem dreibeinigen Hund, sobald sie laufen konnte, der Bauer Holzapfel sah sich Adams wandelnde Baustellen in Fritzis Haus an, gab hier und da einen Rat wegen der Heizung oder der Isolation, blieb manchmal abends zum Essen und brummte gelegentlich, dass er den Hof verkaufen würde, aber er verkaufte ihn nicht; stattdessen fing er an, sich in seinem Garten zu schaffen zu machen, den er seit dem Tod seiner Frau vernachlässigt hatte.

So, so, da will also einer seinen Hof verkaufen, sagte Adam, wenn er ihn beim Umgraben oder Anpflanzen traf.

Ich kann das Grünzeug doch nicht eingehen lassen, sagte Holzapfel dann, als müsste er sich dafür entschuldigen, dass er schon wieder im Garten war.

—

Magali bekam eine kleine Schippe und eine Gießkanne und machte sich damit mehr oder weniger nützlich, anfangs eher weniger, aber nachdem sie ihre ersten eigenen Erbsen hatte anbauen dürfen, biss sie an, pflanzen, gießen, ernten und pulen, und danach waren es natürlich die besten Erbsen der Welt, die besten Kohlrabi der Welt, der beste Spinat der Welt. Magali hatte schon als Kind Fingernägel, unter denen der Dreck festgewachsen war. Das war mit Seife nicht abzukriegen.

Immer öfter saßen Adam und Holzapfel zusammen in dessen Küche oder an dem neu geölten alten Eichentisch, der inzwischen vor dem Küchenfenster auf dem Hof stand, manchmal über Papier gebeugt, auf das Adam etwas zeichnete, und schließlich fingen sie an, den ehemaligen Kuhstall umzubauen.

Es war Adams Idee gewesen. Der Bauer Holzapfel hatte gezögert und nicht gewusst, wie sich das machen ließe, aber Adam hatte es gewusst.

Beton raus, Holzbohlen rein, das ist praktisch schon alles, hatte er gesagt, ich seh's ganz genau vor mir.

Fritzi war argwöhnisch, als Adam uns eröffnete, dass der Bauer Holzapfel Pferdeboxen brauchte.

Musst du da drüben jetzt noch eine Baustelle aufmachen, fragte sie etwas gereizt, und überhaupt, wozu braucht er Pferdeboxen?

Wetten, dass er welche brauchen kann, sagte Adam. Sport ist groß im Kommen. Er erinnerte sich an die Reiterrevue, die bei dem Studienratspaar unter uns im Flur neben dem Pflasterstrand und dem

Spiegel gelegen hatte, und daran, dass etliche von seinen Kunden, denen er Dielen abgeschliffen und Kochinseln eingebaut hatte, bevor die maroden Leitungen drangekommen waren, davon geträumt hatten, am Wochenende mal raus aus der Stadt zu kommen und jottwehdeh in der Pampa zu wandern, Fahrrad zu fahren, zu laufen, Hauptsache, draußen, und der Gipfel solcher Träume, so schloss Adam, wäre es doch, dort ein eigenes Pferd zu haben.

Die hätten schon gern ein Pferd. Sie brauchen nur wen, der sich darum kümmert, sagte er.

Du kennst dich ja gut damit aus, wovon die Leute so alles träumen, sagte ich.

Das will ich doch meinen, sagte Adam.

Der Bauer Holzapfel jedenfalls kannte sich mit Pferden aus, er hatte früher selbst zwei Schleswiger gehabt, gute Zugpferde, aber das machte keinen großen Unterschied zu Reitpferden, Pferde waren es allemal.

Ausmisten, Füttern, auf die Weide lassen, sagte Holzapfel, als Fritzi ihn fragte, was mit den Pferden auf ihn zukäme, und Weideland hatte er mehr als genug, die Streuobstwiese zwischen Fritzis Haus und seinem Hof und die riesige Weide hinter dem ehemaligen Hühnerstall, die er nur selten mähte. Sie erinnerte mich an die Wiese, auf der mein Vater gelegentlich seine verunglückten Drachenversuche mit uns veranstaltet hatte, es wuchsen Weißdorn,

Schlehen und jede Menge Blumen darauf, Magali pflückte manchmal welche für den Opa Holzapfel, und der sagte ihr dann all die Namen, die sie nicht kannte, weil schon ihre Mutter sie nicht gelernt hatte, Ochsenzunge, Zimbelkraut, Gundermann, Kugelblume. Magali sprach ihm von klein an geduldig die schwierigsten Wörter nach.

Tatsächlich trieb Adam in kürzester Zeit achtzehn Interessenten für die Pferdepension Holzapfel auf, und von da an beobachtete er voller Groll, wie die Pferdebesitzer vorwiegend samstags und sonntags mit ihren Jeeps aus der Stadt angefahren kamen, wofür braucht der Mensch in Mitteleuropa einen Jeep mit V6-Motor, aber mit der Zeit würde er versuchen, noch einmal so viele Pferde unterzubringen, damit Holzapfel seinen Hof nicht verkaufen musste, und abgesehen von den Jeeps tat es dem Bauern ganz gut, dass ein bisschen Leben auf seinen Hof kam, wenn auch zunächst nur am Wochenende.

Die Kohle stimmt fürs Erste, sagte Adam, aber zufrieden war er noch nicht.

Eines Tages rief Anton Grosser bei uns an und erkundigte sich nach der Pferdepension unseres Nachbarn. Ruth war früher geritten, die Eltern hatten ein Gut gehabt, und sie war mit Pferden aufgewachsen, hatte sogar an Springturnieren teilgenommen und etliche Pokale in einem ihrer prächtigen Jugendstilschränke, aber dann waren der Beruf und die Kinder gekommen.

Vielleicht wäre jetzt wieder ein bisschen Zeit.

Ruth bekam ihr Pferd zum Geburtstag, andere Ilmenstetter folgten den Grossers, aber auch nachdem Adam und Holzapfel einen Reitplatz angelegt hatten, ausbaggern, alte Bahnschwellen drum herum, eine Drainage, Kies-Holzspäne-Mischung drauf, selbst dann noch hatte Adam das Gefühl, dass Holzapfel etwas fehlte.

Der ist einfach nicht ausgelastet, sagte er. Die paar Pferde.

Was denn nun, sagte Fritzi, will er verkaufen, oder ist er nicht ausgelastet.

Adam sagte, er hat sich ein paar Jahre hängen lassen, aber jetzt wird er so langsam wieder.

Der Bauer Holzapfel seinerseits dachte auch über die Zukunft nach, womöglich dachte er auch darüber nach, dass Adam ihm bisher keine Rechnung geschrieben hatte und es auch nicht den Anschein hatte, als ob er das jemals tun würde; und eines Tages kam Holzapfel zu uns herüber unter dem Vorwand, die neue Wendeltreppe begutachten zu wollen, die vom Hauseingang nach oben in die Praxisräume führen sollte.

Eins-a-Wendeltreppe, sagte Adam. Und so was liegt auf dem Schrottplatz rum. Musste nur noch eingekürzt werden. Deckel drauf und fertig.

Von oben demonstrierte Fritzi die neue Falltür, die Adam eingesetzt hatte, und sagte, ist das nicht raffiniert.

Schön, schön, sagte Holzapfel nur beiläufig; ganz

offenbar war er nicht bei der Sache, und wir merkten, dass es ihm bei seinem Besuch nicht um die Treppe ging und er die Falltür ein andermal bewundern würde.

Während ich Kaffee kochte, gingen Adam und er in unser Zimmer. Die Kinder kamen hinzu, weil sie es liebten, wenn der Opa Holzapfel uns besuchte.

Der ging ans Fenster und betrachtete die Wiese und seinen Hof.

Er wartete, bis der Kaffee eingegossen war.

Streuobst lohnt sich nicht, sagte er dann.

Er drehte sich zu uns um, kam langsam zum Tisch und setzte sich. Er wirkte angestrengt und feierlich.

Wir warteten.

Früher mal haben wir gemostet, setzte er fort.

Nach dem Tod seiner Frau seien in den ersten beiden Jahren ein paar Familien zum Selbstpflücken und -sammeln gekommen, aber dann nicht mehr.

Die Zeiten haben sich geändert, sagte er, heute gehen die Leute lieber joggen, anstatt sich nach einem Apfel zu bücken. Und jetzt, sagte er, das ganze Obst voller Maden. Freuen sich nur noch die Tiere. Müssten auch mal geschnitten werden, die Bäume.

Das lässt sich machen, sagte Adam, der nicht die geringste Ahnung davon hatte, wie man Bäume schneidet, und der vor allem nicht die allergeringste Ahnung davon hatte, dass wir alle demnächst jede Menge Dinge tun würden, von denen wir keine Ahnung hatten. Denn jetzt rückte der Bauer Holzapfel mit der Sprache heraus.

—

Ob wir ihm die Streuobstwiese nicht abnehmen könnten?

Wie, abnehmen, sagte ich.

Natürlich nur, wenn Sie sie überhaupt wollen, sagte er.

Und dann, zu Anatol gewandt: Was ist mit dir. Du tätest mir einen großen Gefallen. Ich kann doch auf dich zählen.

Adam sah mich an, und an der Art, wie er mich ansah, verstand ich, was er gleich begriffen hatte, dass Holzapfel uns und unseren Kindern seine Streuobstwiese schenken wollte, weil Adam seinen Hof wieder flottbekommen und ihm selbst die Zuversicht wiedergebracht hatte, die ihm nach dem Tod seiner Frau abhandengekommen war.

Klar doch, sagte Anatol großzügig, klar kannst du auf mich zählen. Er war stolz, dass der Opa Holzapfel wieder einmal seine Hilfe brauchte.

Ich dachte an den Tag, an dem wir im strömenden Regen zum ersten Mal auf seinen Hof gekommen waren, an den Sechserbohrer, an die Schüssel mit dem Sprung und den Eiern und daran, wie der Bauer Holzapfel zu sich selber gesagt hatte, gut, dass da drüben wieder Leben einzieht. An meine Eltern dachte ich auch und musste schlucken.

Mysteryland, murmelte Adam.

Nachdem Holzapfel sich verabschiedet hatte, standen wir am Fenster und schauten andächtig auf die Streuobstwiese, die uns bei Gelegenheit notariell überschrieben würde.

Damit es auch amtlich ist, hatte Holzapfel gesagt.

—

Adam legte seine Arme um mich, drückte fest zu und sagte, jetzt bin ich ein Pirat, jetzt kommt mein Schiff so langsam mal in Fahrt. Und dich halte ich fest gefangen.

Die Ärzte, sagte ich. Deine Sehnsucht hat jetzt Sinn, nimm sie mit, du weißt, wohin.

Tja, sagte er, da hätten wir sie, unsere Streuobstinsel.

Tatsächlich Jugendstil, sagte er später, als er die Gartenbank zusammengebaut, blau gestrichen und unter einen frisch geschnittenen Apfelbaum gestellt hatte.

Ist doch was für den Anfang.

Wenn der Bauer Holzapfel fortan auf etwas zählen konnte, dann darauf, dass Adam ihn nicht auf halber Strecke hängen lassen würde.

Pferdepension, sagte Adam herablassend und meinte nicht die Pferde, sondern diejenigen Besitzer, die aus der Stadt mit ihren nagelneuen Jeeps angedüst kamen und am Wochenende neben Holzapfels altem Nachkriegsdefender parkten.

Bevor er das Zauberland angehen würde, das vor uns lag, musste Adam sich noch eine Weile um den Mann kümmern, der seiner Sehnsucht Sinn gegeben hatte.

Der ist einfach nicht ausgelastet, sagte er. Die paar Pferde.

Auf Holzapfels Hof gab es noch immer eine Menge zu tun; zusammen bastelten sie einen Tag lang an dem alten LP 813 herum, und am Abend kam Adam ölverschmiert und mit leuchtenden Augen heim.

Geil, rief er mir schon an der Haustür zu.

Lange nicht mehr gehört, das Wort, rief ich zurück.

Er lachte und sagte, besonders haltbar. Keilriemen, Filter, Wellendichtung, und die Kiste rollt wieder.

Danach nahm er bis auf die letzte Schraube Holzapfels Kutsche auseinander, schliff sie ab, wechselte die morschen Sitzbretter aus, lackierte und baute sie wieder zusammen.

Geschmiedete Achse, sagte er, schmieden würde ich gerne können.

Amboss und Feuerstelle wären da. Ein Schraubstock wäre da. Eine Drechselbank wäre da.

Vieles war da. Offenbar hatten Holzapfels früher nicht nur gemostet, sondern auch Schnaps gebrannt; in einem der Ställe fand Adam jedenfalls samt riesigem Kupfertopf eine Destille. Würde er auch gern können, Schnaps brennen, zumal er demnächst das Obst dazu hätte.

Alles würde Adam gerne gekonnt haben, und alles sollten seine Kinder können und in eine Zeit mitnehmen, in der die Menschheit alles vergessen haben würde, was sie sich seit der Steinzeit mühsam hatte beibringen müssen, Adam würde seine Kinder vor dem Vergessen retten. Adam würde das Wichtigste irgendwie auf den Kasten kriegen und an sie

—

weitergeben, damit sie der Komplettverblödung entgehen würden, die er überall wachsen sah, weil der Sinn weg war, und wenn der Sinn weg ist, kannst du den Verstand gleich hinterherschmeißen.

Er stöberte durch die Scheunen und Ställe. Er fand eine Menge Dinge, die noch zu gebrauchen waren, manche wollten nur ein bisschen gewartet werden, und nachdem das erledigt war, stöberte Adam weiter. Er suchte etwas.

Keine Ahnung was, sagte er, aber ich bin sicher, irgendwo ist was.

Und eines Tages entdeckte er die Schlachtanlage.

Sie verkümmerte in einer Ecke des riesigen Hühnerstalls ganz hinten, und als Adam sie entdeckte, wusste er, wonach er gesucht hatte. Er ging schnurstracks zu Holzapfel.

Alles in top Zustand, sagte er, Brühkessel, Trichter, Abtropfwagen, nicht neu, aber picobello, Rupfmaschine, sogar ein Betäubungsgerät ist da. Kann man doch nicht so vergammeln lassen.

Das sind bloß die Reste von dem, was früher da war, sagte Holzapfel, die Hühner hat meine Frau gemacht, außerdem hat der Brutschrank einen Kurzen; und dann murmelte er noch etwas von dem riesigen Aldi im neuen Gewerbegebiet, und in der Fußgängerzone ein Lidl, aber Adam wusste längst, dass der Bauer Holzapfel gern brummig und nicht sehr entscheidungsfreudig war.

So, so, sagte er, der Brutschrank hat einen Kurzen, na, dann wird natürlich nichts daraus.

Zu der Zeit kannten wir die Özyilmaz noch gar nicht richtig.

Wir gingen gern in ihren Imbiss in der Altstadt, weil man dort zu jeder beliebigen Tageszeit etwas zu essen bekam, nicht nur mittags und abends; Anatol wäre am liebsten jeden Tag hingegangen, und wir waren die einzigen Nichttürken in Ilmenstett, die sich zum Essen hinsetzten, alle anderen kauften ihre Döner oder ihr Lahmacun im Straßenverkauf; anfangs waren wir unter den türkischen Männern, die ihre Linsensuppe aßen oder Tee tranken und Karten spielten, so etwas wie Exoten, aber es dauerte nicht lange, bis wir mit den Özyilmaz ins Gespräch gekommen waren, und als Adam die Schlachtanlage in Holzapfels Hühnerstall entdeckte, wussten wir schon seit Längerem, dass sie ihr Fleisch für den Imbiss und für ihre Verwandtschaft in und um Ilmenstett über eine große Döner-Firma bezogen, Rindfleisch, Lammfleisch, aus Holland oder Belgien, aber leider kein Huhn; und in Ilmenstett gab es keine türkische Metzgerei, die vorschriftsmäßig geschlachtetes Fleisch verkaufte wie in der Großstadt, Ilmenstett war jottwehdeh; aber – vielleicht hatten Die Ärzte keinen Durchblick mehr – Adam hatte den Durchblick, er machte sich entschlossen daran, den Özyilmaz zu Hühnern zu verhelfen und unserem Nachbarn in seinem Bauernleben zu einem Sinn.

Pferdepension schön und gut, sagte er, aber ein paar untergestellte Luxusgäule, damit ist der nicht ausgelastet.

—

Also sprach er bei unserem nächsten Imbiss-besuch, als er am Tresen bezahlte, beiläufig ein paar Worte mit Herrn Özyilmaz, und am folgenden Sonn-tag fuhr die Familie Özyilmaz beim Bauern Holz-apfel vor und stattete ihm einen Besuch ab, um ein Geschäft abzuschließen.

Holzapfel hatte keine Ahnung, was die türkische Familie von ihm wollte.

Es wurde eine längere Verhandlung. Adam stand dabei, weil er die Sache eingefädelt hatte, und um gegebenenfalls zu vermitteln.

Einleitend teilte Herr Özyilmaz dem Bauern Holz-apfel mit, dass er Hühnersuppe auf seine Speise-karte setzen wollte und dafür Hühner brauchte.

Holzapfel begriff nicht, worauf diese sonderbare Eröffnung hinauslaufen sollte, oder vielleicht wollte er es auch nicht begreifen.

Ich an Ihrer Stelle würde zur Metro fahren, sagte er, oder haben Sie keinen Gewerbeschein?

Herr Özyilmaz war durch die schroffe Abfuhr in seiner Ehre getroffen, erzählte Adam später, er hatte sichtbar Lust, gekränkt den Rückzug anzutreten, aber dann, so Adam, ging er in die Offensive.

Deutschland immer Papiere, sagte er verächtlich und gab damit zu verstehen, dass er es eines freien Mannes für unwürdig hielt, von einer lächerlichen Obrigkeit eines unkultivierten Landes mit einer Lappalie wie Papieren behelligt zu werden, aber da man in diesem zivilisationsfernen Staat offenbar kei-nen Begriff von der Freiheit eines Mannes hat und daher nicht satisfaktionsfähig ist, hat Herr Özyilmaz

—

sich selbstverständlich dazu herbeigelassen, einen Gewerbeschein zu beantragen.

Ich lachte, als Adam mir Herrn Özyilmaz' Auftritt vorspielte, und sagte, das passt; noch keine Hühner im Stall, da kämpfen schon zwei Hähne. Und dann?

Hat der Holzapfel den Schwanz eingezogen, sagte Adam.

Offenbar war der Bauer schwer beeindruckt von der Hoheitlichkeit seines Besuchers.

'tschuldigung, sagte er. War nicht so gemeint.

Adam überlegte, ob er eingreifen sollte, verkniff es sich aber. Da ging Frau Özyilmaz in den Ring und schlichtete, ohne dass ihr Mann das Gesicht verlor.

Nicht nur Imbiss, sagte sie, auch privat.

Der Bauer Holzapfel stellte sich noch immer etwas an und erwähnte brummig noch einmal den Aldi im Gewerbezentrum.

Herr Özyilmaz machte eine herablassende Handbewegung und sprach von Qualität.

Von den mohammedanischen Schlachtvorschriften sprach er einstweilen nicht. Dafür von den zahlreichen Verwandten und Bekannten, die die Familie Özyilmaz in dieser Gegend hatte.

Mit der Qualität hatte er Holzapfel bei der Ehre gepackt.

Der Betrieb ist seit Jahren dicht, sagte er ausweichend, war aber schon halb gewonnen.

Und jetzt schlug Adams Stunde.

Das lässt sich ändern, sagte er schnell und entschieden, und jetzt wurde der Bauer schwach.

Frau Özyilmaz behielt während des ganzen Besuchs ihren Sohn im Auge, der seinerseits Anatol im Auge hatte, wie er sehr lässig und angeberisch auf einen Traktor kletterte, jedenfalls erzählte Adam mir das, als wir am Abend im Bett lagen und er sich die ganze Choreografie des Nachmittags auf der Zunge zergehen ließ.

Bora ging schon zur Schule und machte oft im Imbiss seine Schulaufgaben.

Wir hatten den Verdacht, dass Anatol wegen Bora so oft in den Imbiss wollte. Anatol hatte einen Heidenrespekt vor der Schule und bewunderte Bora vermutlich dafür, dass er täglich das alte Gebäude betreten durfte, das ihm noch ein Weilchen verschlossen sein würde. Hier beim Bauern Holzapfel war er gewissermaßen auf seinem eigenen Terrain, und er wollte Bora unbedingt vorführen, dass sein Paradies zwar einstweilen nicht die Peter-Petersen-Schule, sondern dieser Hof hier war, aber der war jedenfalls auch nicht zu verachten; und natürlich wäre Bora gern auch auf den Traktor geklettert, auf dem Anatol Motorengeräusche produzierte, von denen so mancher meiner Patienten froh gewesen wäre, wenn sie aus seinem Mund kommen würden. Boras Mutter beobachtete, ob eine Annäherung erfolgen würde oder nicht, und als die Erwachsenen schließlich zu Holzapfel hineingingen, rief sie ihren Sohn von der halben Strecke, die Bora schon angestrengt in Richtung Traktor geschlendert war, zurück und nahm ihn mit ins Haus.

Zwei Stunden später war ich gerade nach Hause gekommen und ans Fenster gegangen, um zu sehen,

—

ob Adam mit den Kindern drüben auf dem Hof war, als alle Beteiligten den Verhandlungsort wieder verließen, und so wurde ich von fern Zeuge der großen interkulturellen Hühnerzuchtgründung. Herr Özyilmaz schien sehr zufrieden. Vor dem Haus gaben er und Holzapfel sich feierlich die Hand, und sobald die drei in ihr Auto gestiegen und langsam vom Hof gerollt waren, kamen Anatol und Magali aufgeregt zu uns hinübergestürmt, die beiden Männer angemessen langsam und würdevoll hinterher, wie sich das nach solch einem Abschluss gehört.

Noch bevor sie da waren, hatte ich aus dem etwas unklaren zweistimmigen Kinderbericht ungefähr verstanden, dass der Bauer Holzapfel demnächst viele Eier kaufen würde, und aus denen kämen ganz viele Küken raus, lauter weiße Küken mit gelben Kapuzen, und die würden dann auf der Wiese rumlaufen und Regenwürmer picken.

Bis zu dem Tag war für mich ein Huhn nichts besonders Aufregendes gewesen. Eben ein Huhn. Kauft man als Eisklumpen aus dem Tiefkühlfach, und wenn man es auftaut, warten die Salmonellen nur darauf, einen anzufallen, genau besehen, eine eklige Angelegenheit, die dann noch nicht einmal nach etwas schmeckt.

Jetzt änderte sich das.

Vor allem der Bauer Holzapfel hatte sich an diesem historischen Nachmittag geändert; ich hatte ihn immer für einen alten Mann gehalten, der den Tod seiner Frau nicht überwinden konnte, er hatte etwas Verzagtes, Mutloses an sich, aber als er jetzt zur Tür hereinkam, sah er mindestens zehn Jahre jünger aus und war plötzlich voller Spannkraft; vielleicht hielt er sich auch einfach nur in den Schultern gerade und sah dadurch größer aus, jedenfalls war er wie ausgewechselt; später kam Fritzi von einem Patientenbesuch zurück und staunte nicht schlecht, als sie den Nachbarn plötzlich verwandelt und sehr aufgeräumt an unserem Küchentisch sitzen sah; er sprudelte geradezu über. Fritzi setzte sich zu uns, und es dauerte eine Weile, bis wir die Geschichte zusammenhatten, die er uns erzählen wollte.

Holzapfel hatte den Hof übernommen, als sein Vater starb, Milchwirtschaft, Rinderzucht auf seinen sechseinhalb Hektar.

Zwölf Stück Vieh, sagte er. Damals war das noch was, dazu ein bisschen Anbau, Kohl, Kartoffeln, Mais und so weiter, mal dieses, mal jenes, und zu Lebzeiten der Mutter hatten seine Frau und er nicht umstellen wollen, aber dann, so Holzapfel, kam die Strukturbereinigung.

Ich sagte, kann ich mir nicht so genau was darunter vorstellen, was das ist.

Holzapfel sagte, aber was die Butterberge in den Siebzigern waren, die Weihnachtsbutter, daran können Sie sich noch erinnern, oder? Da fing der Irrsinn an, da hieß es wachsen oder weichen, wenn du im Spiel bleiben wolltest. Da war es nicht mehr mit zwölf Kühen, mit Gras oder Stroh und Silage getan

—

und schon gar nicht mit 3000 Litern Leistung pro Tier.

Holzapfel hatte also zugesehen, wie sein Vater nicht mehr mithalten konnte, und nach seinem Tod stand der Hof auf der Kippe. Danach hatte er umgestellt.

Denn Holzapfel hatte noch von der Großmutter her einen Traum, und der hieß: Hühner.

Ein schöner Traum, sagte Fritzi, und ich sagte leise, du musst langsam aufpassen, dass du deinen Beruf nicht nach Hause einschleppst, aber der Bauer Holzapfel hatte zum Glück nichts gehört, weil er in die Geschichte seines Traums versunken war, eines Traums, von dem ihm inzwischen nur noch seine sechs Hennen geblieben waren, die ihn und häufig auch uns mit Eiern versorgten.

Kreuzung aus Lohmann und Araucana, sagte er, aber das sagt Ihnen natürlich nichts, gute Legehennen.

Und sehr gute grüne Eier, sagte Fritzi. Ich trat ihr unter dem Tisch auf den Fuß, aber sie hatte dem Bauern Holzapfel offenbar das Stichwort gegeben, denn nun brach es aus ihm heraus.

Essen Sie manchmal Hähnchen?

Selten, sagte Adam vorsichtig, und Holzapfel schüttelte sich. Ich fass seit Jahren keins mehr an, und was meinen Sie, warum wohl.

Keine Ahnung.

Holzapfel senkte die Stimme und sagte, alles hybrid.

Ich sagte, ich kenn mich da nicht so aus.

—

Kenne ich nur von der Automesse, sagte Adam, kommt demnächst auf den Markt. Audi 80, kostet lasche 60 000 Mack.

Nix Audi, sagte Holzapfel, der sich nicht ablenken lassen wollte, sondern in Zorn geraten war.

Inzucht, sagte er, auf Hochleistung gekreuzt, was das Zeug hält. Legelinien, Mastlinien, alles Selektion, alles steril, alles verkrüppelt, alles geklont. Noch schlimmer als mit den Kühen. Die Zuchtbetriebe sind nichts als Zuliefererindustrie. Mit der Saat ist es übrigens auch nicht anders. So hätten sie's gern, die großen Konzerne, alles am liebsten steril.

Monopoly, sagte Adam, wer sagt's denn.

Nach und nach verstanden wir, dass Holzapfels Traum nicht Hühner als solche waren, schon ganz bestimmt nicht die als nass gerupfte Eisklumpen käuflichen Industriehühner.

Kriegen die Chemie gleich im Futter, sagte er, Hauptsache, sie bringen in vier Wochen satte drei Pfund. Und dann wunderst du dich.

Allergien, fragte Fritzi.

Und was sonst noch, sagte Holzapfel.

Also Bio, sagte ich, weil ich dachte, dass er darauf hinauswollte.

Quatsch, Bio, sagte er. Das ist dasselbe in Grün. Die wollen auch immer nur mehr vom selben.

Er machte eine kleine Pause, und danach hatte er einen andächtigen Klang in der Stimme:

Haben Sie schon mal was vom Silberfarbigen Italiener gehört oder vom Bergischen Kräher? Wissen Sie, was ein Altsteirer Huhn ist?

Wussten wir natürlich nicht.

Das ist überhaupt das ideale Huhn, sagte er mit Nachdruck und einer Bestimmtheit, die mich an ihm überraschte. Er musste schon jahrelang darüber nachgedacht und sich damit beschäftigt haben.

Und warum haben Sie dann keine Altsteirer Hühner, fragte ich.

Meine Frau war die Vernünftige von uns beiden, sagte er und fing an, von den Altsteirer Hühnern zu schwärmen, wie schön sie seien, eine richtige Pracht fürs Auge, weiße und bunte gibt es von denen, feuerrote Hähne und Hennen mit blau-goldenem Hals, und ein Temperament haben sie, da ist keines wie das andere, und fliegen, als wären es Vögel.

Hast du schon mal ein Huhn gesehen, das von hier bis zu mir rüberfliegen kann, einmal über eure Streuobstwiese, fragte er Anatol.

Die Kinder hingen wie gebannt an seinen Lippen, und Anatol schüttelte voller Ehrfurcht den Kopf, Magali hatte aufgehört, mit ihrem Rutschauto durch die Küche zu flitzen, sie hielt sich vor Aufregung die Hand vor den Mund.

Legen auch nicht schlechter als andere Hennen, sagte Holzapfel dann, als hätten wir das bezweifelt, aber er sprach wohl gar nicht zu uns, sondern zu seiner toten Frau.

Und schmecken, sagte er verträumt, sind eben Zwiehühner. Eier und Fleisch. Kann man doch beides haben. Wenn du ein Mal ein Altsteirer Hähnchen auf dem Teller hattest, sagte er wieder zu Anatol und ließ den Satz unvollendet.

———

Dann schüttelte er den Kopf, und wir sahen, wie er innerlich von seinem Altsteirer Höhenflug wieder auf dem Boden landete, auf dem, wie sich herausstellte, seine Frau mit ihren beiden Beinen gestanden und die lizensierten Industriehühner durchgesetzt hatte. Hybrid.

Hat ja recht gehabt, meine Frau, sagte Holzapfel, Altsteirer brauchen Monate, bis ich sie schlachten kann, dazu Unmengen Auslauf. Und haben ihren eigenen Kopf, bei denen geht nichts mit Zwangsmast. Die suchen sich ihr Futter am liebsten selber. Brennnesseln, Vogelmiere. So sind die. Und was sie sonst noch brauchen, das wollen sie gern persönlich serviert bekommen, das gibt man ihnen am besten aus der Hand. So was hat keinen Markt.

Adam sagte, dann wollen wir uns mal nach den Charakterhühnern umsehen.

Wer weiß, ob's davon überhaupt noch welche gibt, brummte Holzapfel, der nun wieder mutlos wurde, nachdem wir begriffen hatten und mitfühlen konnten, dass er seiner Frau zuliebe auf seinen Traum verzichtet hatte.

Sind bestimmt längst ausgestorben.

Dann klärte sich sein Gesicht noch einmal auf, und er sagte, aber wenn sie Platz haben, so viel Auslauf, dass die Hähne sich nicht in die Quere kommen, schmecken sie wie Kapaun.

Ich kannte Kapaune nur von Stillleben aus dem 16. Jahrhundert und aus Romanen, und wie alle Delikatessen, die man nur von Gemälden oder aus Romanen, aber nicht aus der eigenen Wirklichkeit kennt, weil es sie darin nicht gibt, hielt ich Kapaune für den höchsten aller Genüsse, den Gipfel der Dekadenz, aber Fritzi hatte mit ihrem geheimnisvollen Mann in Paris gelegentlich leibhaftig Kapaun gegessen, sie konnte das also besser einschätzen als ich.

Donnerwetter, sagte sie, und Anatol hörte die Anerkennung in ihrer Stimme.

Donnerwetter, sagte er, ohne zu verstehen, worum es ging. Der Bauer Holzapfel legte ihm die Hand auf den Kopf und wuschelte seine Haare durcheinander. Adam sagte, und wenn sie nicht gestorben sind, werden wir welche finden.

Und dann fand er tatsächlich welche, das heißt, er nahm sich die Stapel Geflügelzeitschriften vor, die Holzapfel abonniert hatte, aber längst nicht mehr las, entdeckte irgendwo ein kleines Inserat, schickte ein Fax nach Süddeutschland, und kurz darauf erhielt der Bauer ein Riesenpaket voller Sägespäne, darin sechs Eierkartons, die wiederum dick mit Watte gepolstert, und darin schließlich seinen Traum: sechzig kostbare Bruteier, und dann ging alles ganz schnell; ein Kurzschluss in der Brutmaschine ist schließlich kein Malheur, zwei Griffe, und das ist erledigt, und als drei Wochen darauf die Küken in der Brutmaschine anfingen, die Eierschalen anzupicken, hielt Holzapfel es vor Aufregung nicht mehr aus und rief bei uns an, dass wir ihm die Kinder schicken sollten, wenn sie mal ein Wunder sehen wollten.

———

Adam sagte, da hat der Mann jahrelang in Hühnern gemacht, und jetzt dreht er beinah durch wegen der paar Eier, und natürlich gingen wir alle vier los und schauten uns das Spektakel an. Magali quietschte vor Begeisterung, als sie die Küken schlüpfen sah, und etliche hatten tatsächlich gelbe Kapuzen auf; ein paar Wochen lang wuselten sie unter der Wärmelampe herum, später kamen sie auf die Wiese hinter dem Stall und wuchsen zu eindrucksvollen bunten Bilderbuchhühnern heran, die dem Bauern Holzapfel und Magali aus der Hand fraßen, und ein paar Monate später waren wir auf den Hof eingeladen, saßen erwartungsvoll im Freien an dem großen Eichentisch und hatten einen gebratenen Traum auf dem Teller.

Hab ich euch zu viel versprochen, sagte der Bauer Holzapfel, der hiermit zum Du übergegangen war, ohne es in seinem altsteirer Stolz recht zu merken.

Es gibt nichts Besseres, sagte Adam feierlich und trank einen großen Schluck Bier.

Die Hennen legen den ganzen Winter über, sagte Holzapfel glücklich. Und so was wollen sie aussterben lassen.

Wer ist »sie«, sagte Fritzi.

Holzapfel sagte es ihr, und Adam sagte, das wäre ja noch gelacht.

Ist da vielleicht jemand ein klein bisschen größenwahnsinnig, sagte Fritzi.

Fortan konnte Ilmenstett also Eier von glücklichen Hühnern kaufen. Ab Hof.

Fortan kam auch Herr Özyilmaz freitags auf den Hof und kaufte die glücklichen Hühner. Meistens kam Bora mit und blieb draußen; er war verlegen, wenn er so allein auf einem fremden Hof herumstand, und kratzte an seinen Ellenbogen und Knien herum, aber schließlich schaffte Anatol es, ihn auf den Traktor und zu den Pferdeboxen zu locken und ihm zu zeigen, dass er, obwohl er kleiner war als Bora, sich traute, den Pferden über die Nase zu streichen.

Ist gar nichts dabei.

Ganz hinten im Hühnerstall wurde ein kleiner Raum abgeteilt. Dort schnitt Herr Özyilmaz den Hühnern eigenhändig und mit seinem eigenen Schlachtmesser die Gurgel durch. Der Bauer Holzapfel erzählte Adam, dass er noch nie ein Messer mit einer derartig scharfen Klinge gesehen habe.

Damaststahl, sagte er. Bestimmt Damaststahl.

Die Angelegenheit dauerte eine Zeit, weil Herr Özyilmaz die Hühner erst ein Weilchen beruhigte, bevor er ihnen die Gurgel durchschnitt, er streichelte das Gefieder, bot ihnen etwas zu essen und zu trinken an, und wenn sie ruhig geworden waren, legte er sie auf die Seite; kurze Betäubung, so hatten Holzapfel und er es ausgemacht, ein Gebet gen Mekka, Bismallah Allahu Akbar, und Schnitt. Nach dem Ausbluten wurde das nächste Huhn geholt.

Die Hühnersuppe in Özyilmaz' Imbiss wurde ein Renner, und die Verwandtschaft der Özyilmaz war wirklich groß, denn es dauerte nicht lange, bis Holzapfel seinen Stamm auf ein paar hundert Tiere aufgestockt hatte, darunter etliche silberfarbige Italiener und Bergische Kräher und noch ein paar andere Rassen. Um diese Zeit fing er selbst an zu schlachten, immer samstags, weil die Pferdebesitzer vornehmlich am Wochenende mit ihren V6-Motoren nach Ilmenstett kamen und alle Großstadtmenschen verrückt nach glücklichen Hühnern und deren Eiern sind, zumal wenn die Hähne schmecken wie Kapaun.

Alles in allem haben wir in Fritzis Haus ein paar Jahre lang improvisiert, bis alles so war, wie wir es haben wollten, dann war die ambulante Zeit vorbei, wir hatten die Praxis oben im ersten Stock, zu der die Patienten gelangen konnten, ohne durch unsere Wohnungen zu müssen, Anatol hatte sich mit Bora angefreundet und würde demnächst selbst in die Schule kommen, Nico Grosser warf sich nicht mehr in der Villa seiner Eltern die Treppe hinunter und räumte auch keine Schränke mehr aus; meistens brachte Manuel ihn mir in die Praxis, und immer öfter rief ich Manuel oder seine Eltern nach der Stunde an und sagte, dass er zu unseren Kindern runtergegangen sei und mit ihnen spiele, dann nahm Frau Grosser ihn abends mit, nachdem sie ihr Pferd versorgt hatte; unsere Kinder bemerkten gar nicht, dass Nico eine belegte Stimme hatte und keine Melodie in die Sätze brachte, weil er sich selbst nicht hörte, und sie fanden nichts dabei, dass er ihnen auf den Mund schaute und oft die Gebärdensprache zu Hilfe nahm, die seine Familie mit ihm gemeinsam gelernt hatte und die unsere Kinder nicht verstanden. Manchmal rastete er dann noch aus, aber nach einer Weile ging es wieder, und bevor sie noch selbst den Griffel halten konnten, beherrschten unsere Kinder das Fingeralphabet.

Um diese Zeit fing Fritzi an, sich auffällig und leidenschaftlich für moderne Kunst zu interessieren, und kurz darauf lernten wir Massimo Centofante kennen. Er hatte als Softwareentwickler bei IBM mehrere PC-DOS-Generationen lang eine Unmenge Geld damit verdient, Antivirenprogramme zu schreiben, und darüber vergessen, wie Leben und Schlafen geht, und als ihm das aufgefallen war, war er schon völlig durch den Wind. Sagte Fritzi mitfühlend, als sie ihn zum ersten Mal erwähnte. Er hätte zu Microsoft wechseln und an den nächsten MS-DOS-Generationen mitarbeiten können, aber er war ganz aus der Branche ausgestiegen, und Fritzi hatte ihn in der Galerie am Marktplatz kennengelernt, die er in Ilmenstett eröffnet hatte und in der er vorerst auch wohnte.

Überwiegend stellt er Künstler aus, die zur Transavanguardia gehören, sagte Fritzi. Es klang bedeutend.

Was immer das ist, sagte ich.

Bevor der Galerist höchstpersönlich sich bei Fritzi

in Behandlung begab, machten wir die Bekanntschaft mit der Transavanguardia, die er seinem ersten Besuch vorausschickte.

Sieht aus wie die jungen Wilden, sagte Adam, als das erste Bild eintraf und Fritzi es uns mit einer Andacht enthüllte, als wäre es die Mona Lisa.

Die jungen Wilden hatten es nicht in die Neunzigerjahre geschafft, und Fritzi war gekränkt, dass Adam ihre Avanguardia für zu früh gealterte junge Wilde hielt, sie setzte zu einem grundsätzlichen Gespräch über die Avanguardia und überhaupt moderne Kunst an, aber Adam sagte, ich find's schön punkig.

Das konnte Fritzi gelten lassen.

Ein paar Tage später stellte sie uns ihren neuen Patienten vor.

Noch vor der ersten Sitzung klopfte sie an unsere Tür und war aufgeregt wie ein kleines Mädchen.

Massimo leidet an Insomnie, sagte sie.

Soso, sagte Adam.

Ich musste lachen und sagte, so kann man das auch nennen.

Fritzi wurde rot, aber Massimo lächelte mich an. Er war erleichtert, dass wir ihm eine Abkürzung angeboten hatten.

Er war verrückt nach Fritzi, und sie war verrückt nach ihm.

Als ich die beiden sah, kam es mir vor, als hätte

uns hier in Ilmenstett noch etwas gefehlt, wie dem Bauern Holzapfel seine Altsteirer Hühner, und ich wunderte mich nicht, dass Massimos Schlafstörungen ausgedehnte Abendsitzungen erforderlich machten, die sich oft bis in die frühen Morgenstunden hinzogen. Dann weckte uns manchmal der Diesel von seinem alten Toyota.

So viel zur Insomnie, sagte ich im Halbschlaf.

Adam sagte, der Arme kann wieder nicht schlafen, und danach schliefen wir wieder ein.

Nachdem er das erste Mal nicht im Morgengrauen gegangen, sondern ganz über Nacht bei Fritzi geblieben war, kamen die beiden zum Frühstück zu uns runter.

Nicht, dass ihr was Unanständiges denkt, sagte Fritzi, und Massimo sagte, lass sie ruhig denken.

Mit Massimo Centofante zogen bei Fritzi bald eine Menge knallbunte Bilder ein, eine riesige Sammlung Bücher und Bildbände sowie ein Computer und ein enormes Know-how dazu, und noch bevor das neue Jahrhundert begann, waren wir bestens vernetzt.

Zum Einstand lud er uns und den Bauern Holzapfel nach oben ein.

Ich mach uns was zum Essen, sagte er beiläufig, und wir dachten uns nichts dabei und hatten keine Ahnung, was für eine Sensation das würde, wenn Massimo was zum Essen macht.

Meine Mutter hatte Kochen gehasst. Das Gemüseschnippeln, hatte sie gesagt, und dann der Zwiebelgeruch an den Fingern.

Adams Mutter hatte sehen müssen, wie sie von dem kleinen Beamtengehalt ihres Mannes ihre fünf Kinder satt bekam, wir beide hatten nicht gewusst, dass Essen ein Ereignis sein kann, es gab eben Nudeln oder Reis, Schinken und Soße, Buletten mit Salzkartoffeln oder Fritten. Erbsen, Möhren, Spinat. Manchmal Fischstäbchen. Eierkuchen und Pudding. Fritzi hatte eine Mikrowelle, und wenn wir etwas zu feiern oder die Kinder Geburtstag hatten, machten wir Fondue und kauften in der Bäckerei Huber eine Schwarzwälder Torte.

Damit sollte jetzt Schluss sein, nachdem uns Massimos Antipasti, die Minestrone, das Pollo alla cacciatora und die Panna cotta glatt überwältigt hatten. Der Bauer Holzapfel, der das Pollo zu dem Festessen beigesteuert hatte, war gerührt, was man daraus machen konnte.

Das sind ja ganz neue Düfte und Geschmäcker in diesem Haus, sagte er, und weil Fritzis Falltür die meiste Zeit offen stand, füllten diese neuen Düfte von jetzt an das ganze Haus und verwandelten es in ein Zuhause, das wir vorher nicht gekannt hatten, weil es das Zuhause von Massimo war, vielmehr das Zuhause von Massimos Mutter, in deren Küche er seine Schulaufgaben erledigt und nebenbei seiner Mutter zugesehen und so von klein auf gelernt hatte, wie man Nudeln macht und all die anderen Sachen. Pollo alla cacciatora. Dolce.

—

Ich träum von süßen Düften, hatten die Ton Steine Scherben gesungen, und wir hatten oft daran gedacht, wenn wir draußen die Streuobstwiese rochen, die Blüten, das Gras nach dem Regen, oder wenn Adam gemäht hatte. Wir wären nie auf die Idee gekommen, von dem stickigen Geruch im Haus von Adams Eltern zu träumen, und bei meinen Eltern hatte es überhaupt nach nichts gerochen als nach dem Zigarettenqualm meines Vaters oder dem Raumspray, das meine Mutter dagegen einsetzte, aber nachdem Massimo eingezogen war, verstanden wir, dass die süßen Düfte, von denen die Scherben träumten, womöglich die Düfte von einem Zuhause waren, diesem magischen Ort, nach dem sie sich so oft gesehnt und den sie so oft besungen hatten, und nachdem diese Düfte bei uns eingezogen waren, lernte ich allmählich kochen; nicht so gut natürlich wie unser neuer Mitbewohner, weil ich es schließlich nicht aus erster Hand, sondern erst spät von Massimo und aus den Bildbänden, die er mir lieh, lernen musste, aber mein Ehrgeiz war geweckt, und in Anatols und Magalis Kindheit duftete es alsbald wie in Massimos Kindheit in Umbrien, später dann kamen indische, vietnamesische, deutsche und arabische Düfte dazu. Der Duft nach Brot, wenn die Kinder aus der Schule kamen.

Kurz, in Ilmenstett brach der Hedonismus aus.

Tatsächlich dachte ich nicht sehr oft darüber nach, dass es drinnen und draußen überhaupt gibt. Fritzi schenkte uns ihren winzigen Fernsehkasten, weil Massimo einen größeren mitgebracht hatte. Für die Nachrichten gingen wir trotzdem oft hoch, weil wir es immer so gemacht hatten, Clinton for President, in Moskau lässt Jelzin schießen, Europa tritt in Kraft, ein Anschlag in New York auf die Zwillingstürme der WTO, Stürme, Erdbeben, Zugunglücke, Jahrhunderthochwasser, das alles war draußen, und hier drinnen war es schön, den Abend mit Fritzi und Massimo ausklingen zu lassen.

Nur Adam war auf der Hut. Und Frau Özyilmaz, die mich eines Tages, als ich an ihrem Imbiss vorbeiging, hineinholte und nach meinem Beruf fragte.

Logopedi, was ist genau, sagte sie. Als ich es ihr erklärt hatte, Sprechen, Stimme, Sprache, Schlucken, nickte sie und sagte etwas auf Türkisch.

Es stellte sich heraus, dass sie Deutschunterricht nehmen wollte.

Dil, sagte sie, sprechen. Und schreiben. Yazmak. Schwere Sprache.

Fortan kam sie dreimal in der Woche zu mir; als der Sturm dann losbrach, war sie ganz gut gewappnet.

Niemand von uns hätte gedacht, dass es so heftig kommen würde, aber wir waren nicht mehr in den Siebzigerjahren, in denen alle irgendwie links waren, und wer links war, war multikulti, ging zum Griechen oder Pizza essen, kaufte bei Türken ein und dachte sich nichts dabei, aber nachdem der Osten zusammengebrochen war und der ältere Bush seinen Golfkrieg durchhatte, hätte man es sich eigentlich denken können.

Wo wir jetzt den Osten nicht mehr haben, sagte Adam manchmal, bin ich gespannt, wer uns als Nächstes den Feind spielen soll.

Jedenfalls erwähnte Fritzi eines Tages, eine Patientin habe sie darauf angesprochen, ob da was dran sei; sie habe gehört, dass bei unserem Nachbarn Hühner geschächtet würden.

Und, sagte Adam, was hast du gesagt?

Nichts, hatte Fritzi natürlich gesagt, aber das hinderte den Ilmenstetter Boten nicht daran, in der nächsten Wochenendausgabe zu berichten, dass der Wirt der türkischen Imbissstube in der Altstadt freitags auf dem Hof der Pferdepension Holzapfel vorfahre, um im Dunkel des Hühnerstalls unter fortgesetztem Murmeln ritueller Gebete auf barbarische Weise Tiere zu töten.

Schächtung ist in Deutschland verboten, stellte der Bote klar, und bei dem dubiosen Geschehen auf Holzapfels Hof sei nicht auszuschließen, dass außer den Hühnern, die Holzapfel sich kürzlich zugelegt habe, eventuell auch die Ziegen und Schafe, die er auf seiner Streuobstwiese halte, blutig massakriert würden. Wollen wir Döner essen, die mit dem Fleisch von geschändeten Tieren zubereitet wurden?

Adam flippte aus, als er das las.

Ich sage euch mal, was jetzt passiert, sagte er. Jetzt kriegt Holzapfel als Erstes eine Tierschutzkontrolle an den Hals, die sich gewaschen hat, aber das ist das kleinere von den beiden Problemen. Der zeigt in Ruhe seine Schlachtanlage, picobello, Betäubungsgerät vorhanden, nirgendwo eine blutbespritzte Badewanne, kein rostiges Messer mit stumpfer Klinge, alles einwandfrei. Hygiene und Kühlung vorbildlich, Schlachterlaubnis hat er auch. Damit ist der Fall für die erledigt, sie hauen wieder ab, und dann wird es richtig gefährlich.

Fritzi sagte, ich kapier da was nicht. Döner sind doch alle halal. Das weiß doch jeder. Was regen die sich so auf.

Weil's nicht aus Holland oder Belgien kommt, sagte Massimo, sondern direkt von vor ihrer Haustür.

Und dann, sagte Adam, der sich von seiner düsteren Vision nicht abbringen lassen wollte, dann wird es richtig gefährlich, dann kommen die Tierschützer und kochen den Volkszorn hoch.

Fritzi nahm ihn nicht so richtig ernst.

Adam ist manchmal ein ganz klein bisschen paranoid, sagte sie zu Massimo, und zu Adam sagte sie dann, die regen sich auch wieder ab, aber Adam dachte daran, dass die westliche Welt auf der Suche nach jemandem war, der ihr den Feind spielen

würde, und nachdem dann die Lebensmittelkont-
rolleure bei Holzapfel gewesen waren und der Fall
sich für sie erledigt hatte, richtete sich der Volkszorn, wie Adam es angenommen hatte, nur für kurze
Zeit auf den Bauern und seine Bilderbuchhühner
und drehte dann ab. Holzapfel nahm die Sache gelassen.

Was die sich anstellen, sagte er, bei denen hat die
Oma doch auch den Hühnern noch eigenhändig den
Hals umgedreht. Das war doch nicht nur bei meiner
Oma. Kennt doch jeder einen, bei dem ist ein Huhn
nach dem Schlachten auch schon mal ohne Kopf
übern Hof gerannt, und wenn du Pech hattest, war's
weg und nicht mehr zu finden. Haben die offenbar
alles vergessen.

Die haben eine ganze Menge vergessen, sagte
Adam.

Dass sich die Welt in Ilmenstett ausgerechnet Bora
Özyilmaz als Feind aussuchte, fand er dann doch
etwas erbärmlich, auch wenn es ihn nicht überraschte.

Adam war schon immer draußen gewesen.

Sippenhaft, sagte er, ist immer das Gleiche.

Boras Mutter machte es Sorgen.

Bora selbst war stolz wie das tapfere Schneider-
lein und versorgte Anatol mit angeberischen Berichten von den unglaublichen Schlachten, die er auf
dem Schulhof siegreich schlug.

Ein Kümmel gegen mindestens sieben Alemannen, erzählte er, und nach eigenen Berichten polierte er den Alemannen wahlweise die Fresse oder trat ihnen in die Eier, praktisch in jeder Pause machte er etliche platt oder zu Brei; Anatol war von der Prahlerei seines großen Freundes schwer beeindruckt, allerdings beunruhigte ihn die Vorstellung, nach dem Sommer, wenn er eingeschult wäre, sogleich in drastische Kriegshandlungen verwickelt zu werden, zumal er schließlich selbst ein Alemanne war, aber er musste zugeben: Die Alemannen waren eindeutig im Unrecht, sie hatten Bora nun einmal Ziegenfresser genannt. Den Ziegenfresser konnte er nicht auf sich sitzen lassen, und den konnte auch Anatol nicht auf ihm sitzen lassen.

Er bewunderte den Freund so sehr, dass er seinen geliebten Roller nicht mehr anrührte.

Der ist doch Bebi, sagte er verächtlich; das alte Kinderfahrrad, das Adam ihm ziemlich peppig restauriert hatte, nannte er Byke, und wenn er groß wäre, würde er auch Ingenör werden. Genau wie Bora. Bauingenör.

Was ihm Bora während des Bykens aus der Schule erzählte, brachte ihn allerdings von Tag zu Tag ärger in die Klemme.

Mit mir sprach er nicht darüber, weil das ein Männerthema war. Krieg ist nichts für Mütter, die immer nur Frieden wollen. Für Männersachen war Adam zuständig. Die beiden saßen während ihrer Beratung im Kinderzimmer, ich hatte Magali zu mir rübergenommen, und nach einer Weile hörte ich, wie Adam die Platte mit den Kinderliedern auflegte, die er schon mit seiner kleinen Schwester gesungen hatte. Ich kann pfeifen, ich kann pfeifen, hörte ich. Woll'n mich mal die frechen, die größren Jungs verdreschen, dann pfeif ich drauf, und schließlich kam der gellende Pfiff.

Fürs Erste hoffte Anatol wohl, sich womöglich pfeifend dem Kampfgeschehen entziehen zu können, und arbeitete an dem Pfiff, bis er ihn so ohrenbetäubend hinbekam wie die Kinder auf der alten Langspielplatte.

Frau Özyilmaz hingegen konnte sich nicht entziehen.

Den Brief von Boras Klassenlehrer, der sie kurz vor den Sommerferien in die Schule zitierte, brachte sie zu einer unserer Stunden mit. Nicht, weil sie ihn nicht hätte lesen können, sie hatte von Anfang an alles verstanden und recht gut ein wild gewachsenes Gebrauchsdeutsch gesprochen. Inzwischen wusste ich, dass sie in den Siebzigerjahren, kurz bevor der Familiennachzug gestoppt wurde, mit dreizehn zu ihren Eltern nach Deutschland gekommen war und sich die Sprache irgendwie hatte aufschnappen müssen. Für den Alltag hatte das die längste Zeit gereicht; aber auch Frau Özyilmaz schaltete manchmal den Fernseher an und sah eine Welt, in der es Gastarbeiter nicht einmal mehr dem Namen nach gab; sie und ihre Familie waren in ausländische Mitbürger umbenannt worden und in dem neuen Land und der neuen Zeit so wenig Bürger, wie sie vorher Gast gewesen waren, und alles andere als willkommen, das Boot war voll und würde demnächst untergehen, einem Beschuss durch die Islamrakete, so stand in der Zeitung, würde es nicht standhalten können; die Özyilmaz sahen, wie etlichen ihrer Landsleute die Dächer überm Kopf abgefackelt wurden, bloß unsere Welt nicht durchmischen und überfremden; das Abfackeln hatte Frau Özyilmaz eine Heidenangst gemacht, es waren Menschen verbrannt, und sie war froh, schon so lange hier zu sein, dass sie nicht abgeschoben werden konnten, aber wenn sie über die Zukunft nachdachte, in die sie ihren Sohn schicken würde, hatte sie das Gefühl, es könnte nicht schaden, sich zu wappnen und ihre Sprachkenntnisse zu erweitern.

Bora war in Ilmenstett im Kindergarten gewesen und konnte Türkisch und Deutsch, aber weder in der einen noch in der anderen Sprache hatte er seiner Mutter ein Sterbenswörtchen von der Lage verraten, in die er durch den Ilmenstetter Boten geraten war, sie hatte keine Ahnung vom Ziegenfresser, keinen Schimmer davon, dass ihr Sohn heldenhaft die Ehre seines Landes und seiner Leute gegen die Überzahl der Alemannen auf dem Schulhof verteidigte.

Sie fiel ziemlich aus allen Wolken, als ich ihr erzählte, was wir von Anatol wussten.

Die Leute sind komisch, sagte sie dann, lassen

keinen rein und hassen alle, die draußen sind. So viel Hass.

Es ist kein Platz für uns, hatte Rio Reiser von den Ton Steine Scherben gesungen; zwei Jahre vor der Wende hatte er das geschrieben, kein Platz für uns auf der Erde, kein Platz unterm Himmelszelt.

Für eine Menge Leute wird demnächst kein Platz auf der Erde mehr sein, sagte Adam manchmal, wenn Fritzi fluchte, weil die Krankenkassen wieder eine Behandlung nicht erstatten wollten.

Die Plätze gibt's nicht mehr gratis.

Daran dachte ich, als Frau Özyilmaz das jetzt sagte, und Draußensein hieße für Bora wahrscheinlich, dass er nicht so einfach aufs Gymnasium käme, und dann wäre es aus mit dem Traum vom Bauingenör.

Das Gespräch mit Boras Klassenlehrer muss von Anfang an ziemlich schiefgelaufen sein.

Herr Leienbecker meinte, dass Bora ein Problem sei.

Seine Mutter bestand darauf, dass er ein Problem *habe*.

Herr Leienbecker wusste nichts Genaues darüber, warum es auf dem Schulhof zu Prügeleien kam. Er wusste nur, dass neuerdings Bora regelmäßig in diese Prügeleien verwickelt war. Er hatte im Ilmenstetter Boten den Artikel über Holzapfel gelesen. Darüber, dass der Fall längst erledigt war, hatte der

Bote natürlich nichts geschrieben. Es hätte Bora auch nicht sehr viel geholfen.

Nein danke, ich bin Vegetarier, sagte Herr Leienbecker, als Frau Özyilmaz den Zeitungsausschnitt aus der Handtasche zog und ihm zeigen wollte.

Immer schön raushalten, sagte sie, als sie mir davon erzählte. Weichei.

Es klang lustig, das Wort von Frau Özyilmaz zu hören.

Ich sagte, von mir haben Sie dieses Wort nicht.

Sie hatte es von Bora, und der hatte es von seinen großen Cousins.

In der türkischen Sprache gibt es gleich zwei Wörter, sagte sie, und so lernte ich an diesem Tag meine ersten türkischen Wörter: korkak, yüreksiz. Weichei.

Sie hatte Herrn Leienbecker erklärt, dass Bora den Ziegenfresser nicht auf sich sitzen lassen konnte, und natürlich war Herr Leienbecker schärfstens gegen das Ziegenfresser- und überhaupt gegen jegliches Mobbing, aber wenn Sie wüssten, liebe Frau Özyilmaz, was die sich alle Tage für Schimpfwörter um die Ohren hauen, sogar schon die ganz Kleinen. Manchmal hat man das Gefühl, man ist im Irrenhaus, da kann man sich keine Empfindlichkeit leisten.

Und wo er schon bei Boras Empfindlichkeit war, sprach Herr Leienbecker auch rasch noch mit Frau Özyilmaz darüber, dass Bora sich häufig an den Ellenbogen und Knien kratzte; beim Sportunterricht konnte man die entzündeten Flecken sehen, sie nässten, manche waren blutig. Die Mädchen ekelten sich davor und munkelten, dass Bora sich nicht wasche, bei den Jungen ging es derber her, sie reimten Kratzen auf Fratzen.

Herr Leienbecker blieb neutral und wollte sich keine Diagnose zutrauen, das sei Sache eines Arztes. Immerhin bemerkte er, dass die Haut der Spiegel der Seele sei.

Sie sind mit dem Kind doch zum Arzt gegangen?

Er habe gelesen, dass es zu Hautproblemen kommen könne, wenn Mütter ein gestörtes Verhältnis zu ihren Kindern haben, sich nicht um sie kümmerten, vielleicht nicht genug Zeit für sie hätten, weil sie den ganzen Tag arbeiten müssten.

Familiärer Stress, sagte er und schlug vor, sich darauf zu einigen, dass Bora ein häusliches Problem habe und deshalb zum schulischen Problem geworden sei.

Frau Özyilmaz deutete an, dass die Schule wohl ein Problem habe, wenn auf dem Schulhof kriegsähnliche Zustände herrschten, aber dann dachte sie daran, dass ihr Sohn Ingenieur werden wollte und dazu eine Empfehlung fürs Gymnasium von Herrn Leienbecker brauchen würde.

Wie ist es ausgegangen, fragte ich.

Habe ich Herrn Leienbecker ein chinesisches Sprichwort gesagt. Jedes Ding hat drei Seiten. Eine siehst du, eine sehe ich, die dritte sieht keiner von uns beiden.

Es muss eine Begegnung der dritten Art gewesen sein, sagte ich am Abend, als die Kinder schliefen und wir bei Fritzi und Massimo saßen, um nach den Nachrichten noch ein Glas Wein bei ihnen zu trinken.

Adam sagte, hoffentlich bleibt Anatol dieser Typ erspart, ich kann das giftige Eideidei nicht gut ertragen; meine Mutter ist jedes Mal ausgerastet, wenn sie wegen einem von uns in die Schule musste. Kann man ja auch verstehen.

Fritzi sagte, und war Frau Özyilmaz mit dem Kind beim Arzt?

War sie.

Und?

Adam war genervt.

Jetzt auch noch Psycho, sagte er. Muss man doch die Krätze kriegen.

Ja, ja, sagte Fritzi, ich weiß, dass Sprechen nichts bringt.

Nicht, wenn's nur darum geht, wer den schwarzen Peter kriegt, sagte Adam.

Wisst ihr, was ein Mechoui ist, sagte Massimo dann nachdenklich.

Adam und ich hatten keine Ahnung, aber Fritzi war in Frankreich gewesen und hatte dort Mechoui kennengelernt, sie hatte sogar das Rezept, und Massimo zog einen seiner vielen Bildbände aus dem Regal und zeigte uns Fotos von marokkanischen Berbern, die in einem Lehmofen ein Schaf braten.

Kannst du mir den Band mal leihen, sagte Adam.

Die Özyilmaz wussten auch nicht, was ein Mechoui ist, aber zu Beginn der Sommerferien wusste es ganz Ilmenstett. Es war ein Donnerstag, den ich nicht vergessen werde, weil an diesem Donnerstag der Keim für das Basislager gelegt wurde, für das erste der vielen Basislager, die inzwischen aus dem Boden sprießen, die sich selbstständig machen, hier eines, dort eines, Lager, die in Verbindung bleiben, ein Netz, das sich ausbreitet in den Nischen der Städte, auf stillgelegten Betriebsgeländen, irgendwo in der Pampa, wo vorher nichts war als Brachland. So ein Netz kennt keine Grenzen. Und an diesem Donnerstag hatte es angefangen.

Tags zuvor hatten Adam, Massimo und die Kinder auf unserer Streuobstwiese ein riesiges Loch ausgeschaufelt und mit Ästen gefüllt, die Adam von seinem ersten Baumschnitt übrig hatte. Holzapfel und Herr Özyilmaz waren zum Schlachthof nach Guntersbach gefahren. Fritzi hatte bei der Stadt angerufen und die Genehmigung besorgt. Frau Özyilmaz hatte in der Verwandtschaft herumtelefoniert, und ich hatte ein paar von den langjährigen Patienten angerufen, die Grossers natürlich, die Wegeners.

Am Abend sagte Adam, gut, dass ich damals den Motor ausgebaut habe.

Was für einen Motor, sagte ich.

Na, den aus der alten Waschmaschine. Da war

bloß die Elektronik hinüber, der Motor war noch in Ordnung.

Von dem Generator, der in Fritzis Keller stand, wussten wir inzwischen nicht mehr, ob er eine Betriebsbeute war oder von einer öffentlichen Baustelle stammte, und ich hätte nie gedacht, dass wir ihn jemals gebrauchen könnten, aber jetzt war seine Stunde gekommen.

Wer sagt's denn, sagte Adam, dessen Stunde auch gekommen war, und bis zum Mittag des nächsten Tages hatte er einen Eins-a-Drehmotor zusammengebaut, und dann ging es an das Lamm, das der Bauer Holzapfel und Herr Özyilmaz uns in die Küche gelegt hatten.

So ein Lamm ist entschieden größer als ein Huhn, sagte Fritzi, als sie das Tier auf der Anrichte liegen sah.

Tja, sagte Adam, da müsst ihr jetzt durch.

Wir – das waren Frau Özyilmaz, Massimo und ich, weil Fritzi, der die Sache eher barbarisch erschien, die Operation lieber mit etwas mehr Abstand vom Küchentisch aus verfolgte und uns nach Rezept ihre Anweisungen erteilte.

Mehr Butter muss da rein, sagte sie, nachdem wir ungefähr ein Kilo Butter in unserem Braten versenkt hatten.

Frau Özyilmaz schüttelte den Kopf, aber Massimo gab ihr recht, also füllten wir zu den gehackten Kräutern, Gewürzen und Knoblauchzehen – an dem Wiegemesser werden noch unsere Enkelkinder ihre Freude haben – immer noch mehr Butter hinein, pfundweise, bis wir dann zunähen konnten, und den ganzen Nachmittag lang drehte sich der eins-a-voll-automatische Drehspieß mit dem weithin duftenden Lamm über der Glut und füllte sich langsam unsere Wiese mit Schüsseln, Platten, Klappmöbeln, Decken und mit Cousins und Cousinen, die um einen mitgebrachten Gettoblaster herumstanden und lauschten; aus dem Gettoblaster kam eine halb orientalische, halb westliche Musik, ein eigenartig rhythmischer Sprechgesang.

Eigentlich logisch, dass die Türken irgendwann auf den Hiphop kommen würden, sagte Adam.

Er selbst war nie auf den Hiphop gekommen.

Wenn sich die Fantastischen Vier auf Bananensaft und Weizenbier reimen, sind sie nicht mehr weit von der Werbung entfernt, fand er.

Später sangen ein paar Jugendliche die Texte mit, ein paar englische, ein paar, von denen wir dachten, dass es türkische seien, und noch später, als Herr Özyilmaz das Fleisch mit seinem Damaststahlmesser geschnitten, auf die Teller verteilt und wir alle verstanden hatten, dass so ein Mechoui etwas sehr Gutes ist, fingen die Jungen an zu rappen. Bora zögerte eine Weile, aber dann hielt er es nicht mehr aus und machte es den Größeren nach, Anatol machte es Bora nach, und Magali machte es ihrem Bruder nach.

Ich war gerade dabei, die Pappteller unseres Festessens einzusammeln, und hörte die Musik nur nebenbei, aber Adam hörte ganz genau hin.

Lass das mal kurz, sagte er, fasste mich am Arm

und zog mich über die Wiese bis ganz nah an den Gettoblaster ran.

Da müssen welche ziemlich finster drauf sein, sagte er.

In dem Lied, das ein Sänger mit einem drolligen hessischen Dialekt im Stakkato eher ausstieß als sang, reimte es sich ganz gewaltig, eine Kombo jagte die andere: Da gab es Kriege ohne Siege, Kinder starben in der Wiege, und klar doch, auf der ganzen Welt geht es nur noch um das Geld, seht ihr nicht, dass sie zusammenfällt.

»Ich will hier raus« reimte sich sauber auf »bin hier nicht zu Haus« und »muss hier weg« auf »babylonischen Scheißdreck«, da fühlten sich welche verbannt in ein feindliches Land. Die schleimigen Sprüche gegen Hass könnt ihr euch sparen, rief der Sänger zornig den guten Menschen von Deutschland zu, die das Ende der Multikultiära verpennt und nicht gemerkt hatten, dass die Achtzigerjahre vorbei waren, und jetzt standen sie, immer wenn es wo brannte, mit ihren Kerzen in der Hand an den Schauplätzen herum und wollten mit Lichterketten Brände löschen und die Welt retten, die inzwischen keine Schlaftablette mehr war, sondern auf Ecstasy umgeschaltet hatte, auf Ecstasy und auf Speed. Auf die New Economy.

Mein Blut kocht vor Wut, trotzdem bin ich voller Mut.

Und mutig musste er wohl auch sein, der junge kurdische Sänger, der sich Azazin nannte, denn wohin er auch sah, war er umringt von Schwarz-Rot-

Gold und von Teufeln und Dämonen verfolgt, denen er tapfer und voller Kampfeslust mit seinem hessischen Akzent entgegentrat, der so niedlich klang, dass ich ganz vergaß, mich vor all den Blut, Wut und Mut zu fürchten.

Bora rappte wie die größeren Jungen mit verschlossenem Gesicht über die Streuobstwiese, Anatol versuchte auch finster dreinzusehen, Magali hopste aufgeregt und wild dazwischen bis zum finalen Refrain, der so entschlossen wie schräg herauskam.

Der Psychopath ist auf seinem Pfad, wartet auf den Tag für das letzte Attentat.

Tja, sagte Adam anerkennend und belustigt, kommt mir irgendwie bekannt vor. Macht kaputt, was euch kaputt macht.

Frau Özyilmaz war zu uns getreten.

Die wissen nicht, wohin mit sich, sagte sie. Die will keiner haben.

Adam sagte, das sollte sich ändern lassen.

Kaputt gemacht wurden an diesem Donnerstagabend nicht die Bonzen der Ton Steine Scherben und auch keine schwarz-rot-goldenen Alemannenschweine, sondern die Scheiben von Özyilmaz' Dönerimbiss.

Die Sommermonate zwischen dem Mechoui und dem bedeutenden Tag, an dem Anatol in die Peter-Petersen-Schule kommen würde, waren heiß. Adam fuhr mit den Kindern gelegentlich an einen der

Kiesseen im Wald und dachte darüber nach, was aus unserer Streuobstwiese werden sollte. Wenn ich aus dem Fenster schaute, sah ich ihn oft auf der Wiese stehen oder sie abschreiten, sein Land. Er sah aus wie James Dean in Giganten, der auf Little Reata zuversichtlich nach Öl bohrt, nur dass Adam natürlich nicht anfing, auf der Wiese nach Öl zu bohren.

Anatol schlief in diesem Sommer schlecht, und auch bei ihm, wie seinerzeit bei Massimo Centofante, brauchten wir keine Psychologen zu sein, um zu wissen, warum. Anatol machte sich Sorgen, gegen die kein Kinderlied und kein noch so lautes Pfeifen helfen konnten.

Wenn ich ihn besorgt ansah, sagte Adam, ich tu, was ich kann, um ihn abzulenken; tatsächlich brachte er Bora und Anatol das Schwimmen bei, und nach der Radfahrt vom Kiessee zurück durch den Wald waren die Kinder so müde, dass sie kaum mehr das Abendbrot schafften, aber pünktlich um zwei Uhr nachts stand Anatol bedrückt bei uns im Schlafzimmer auf der Matte. Einen Moment später kam seine kleine Schwester hinterher, hatte praktischerweise ihr Stoffkrokodil unterm Arm und krähte fröhlich, ich kann nicht schlafen.

Kein Wunder, sagte Adam, ist ja auch viel zu heiß.

Meistens waren wir zu müde, um die Kinder zurück in ihr Zimmer zu bringen. Adam murmelte, ihr habt gewonnen, und tagsüber nahmen wir uns vor, das nicht zur Angewohnheit werden zu lassen.

Und eines Tages hatte Adam eine rettende Idee. Vielleicht war sie auch ein Verhängnis, aber je länger ich darüber nachdenke, umso mehr will mir scheinen, dass Rettung und Verhängnis nicht so weit auseinanderliegen, wie man meint, im Gegenteil, sie sind sich so nah, dass man vielleicht nicht unterscheiden muss, ob etwas eine Rettung oder ein Verhängnis ist. Adam jedenfalls hatte eine Idee. Sie hing mit dem Bildband zusammen, den Massimo uns vor dem Mechoui-Fest geliehen und den Adam sich mit den Kindern angeschaut hatte. Der Band hieß Nomaden, er enthielt wildromantische Kitschfotos von Tuareg-Hochzeiten, Yakrennen in Tibet, algerischen Kameltänzen und dem mongolischen Naadam-Fest, das die Kinder entzückte, eine Art Miniolympiade, bei der Kinder in Boras, sogar schon in Anatols damaligem Alter an Pferderennen teilnehmen dürfen.

Wie die Großen, sagte Anatol, als er das Prinzip verstanden hatte. Barfuß. Ganz ohne Sattel.

Die Bilder aus der fernen zentralasiatischen Steppe schlugen bei den Kindern ein wie der Blitz. Anatol weigerte sich fortan, seine Sandalen anzuziehen, und nachdem Anatol keine Schuhe mehr anzog, wollte Magali auch keine mehr anziehen. Wenn Bora und Anatol mit ihren Bykes durch Ilmenstett fuhren, fühlten sie sich wie Dschingis Khan hoch zu Ross, besonders wenn sie von ihren Ritten gelegentlich kostbare Beute mitbrachten, ein gusseisernes Waffeleisen, einen korbförmigen Blumentopf mit zwei Henkeln daran, einen halb vertrockneten Oleander.

Adam beschäftigte der Bildband auch, allerdings etwas anders.

Eines Tages, als die Kinder wieder mitten in der Nacht zu uns ins Bett schlüpfen wollten, kam er mit seiner Idee heraus.

Ich glaube, ihr beide solltet bei der Hitze lieber Draußenkinder sein, sagte er.

Er war hellwach, saß aufrecht im Bett und tat sehr geheimnisvoll.

Magali war sofort einverstanden damit, ein Draußenkind zu sein. Der Bauer Holzapfel hatte ihr erklärt, dass sie seine Katzen nicht mit nach Hause nehmen könne, weil es Draußenkatzen seien, und wenn Magali nun ein Draußenkind würde, könnte sie Tag und Nacht mit den Katzen zusammen sein.

Anatol wusste nicht, worauf sein Vater hinauswollte, und sagte erst einmal nichts. Ich nahm das alles nur nebenbei und im Halbschlaf wahr, bis zu dem Moment, als Adam sagte, ihr wisst doch, was eine Jurte ist.

In meinem Kopf ging schrill eine Alarmglocke los. Das hörte sich nach Abenteuer an. Ich bezweifle stark, dass sich dieses Abenteuer mit Anatols Schullaufbahn vertragen würde. Ich wurde schlagartig wach und setzte mich neben Adam aufrecht ins Bett.

Magali wusste nicht, was eine Jurte ist, sie schüttelte den Kopf, aber Anatol wusste es natürlich. Anatol war Mongole.

Yepp, sagte er etwas unsicher, weil er immer noch nicht kapierte, was Adam im Sinn hatte. Ich allerdings ahnte es und hätte lieber weitergeschlafen, aber es half nichts, jetzt war ich wach.

Meinst du, wir könnten so ein Ding hinkriegen, sagte Adam betont nebenbei.

Anatol machte große Augen und wusste nicht, ob sie das hinkriegen würden, aber Adam sagte, bisschen Holz, bisschen Stoff, ein paar Seile, das ist praktisch schon alles.

Daudau, dachte ich.

Als die Kinder später wieder in ihren Betten lagen und so aufgeregt flüsterten, dass wir lange nicht einschlafen konnten, sagte ich vorsichtig, meinst du nicht, ein Campingzelt hätte es auch getan?

Adam lachte und sagte, ein buntes Stück Plastik für dreißig Mack, oder wie?

Adam träumte von etwas anderem als einem Stück Plastik. Von etwas ganz anderem.

Am nächsten Tag fragte ich Frau Özyilmaz, und sie war einverstanden damit, dass Bora mitmachen durfte.

Sie sagte nichts von den eingeschlagenen Scheiben, aber ich merkte, dass sie daran dachte.

Das bisschen Holz, das bisschen Stoff, die paar Seile beschäftigten Adam in der nächsten Zeit unablässig, weil es darum ging, ob das Holz Esche oder Nuss oder Bambus sein sollte, der Stoff womöglich Filz oder PVC oder beides, die paar Seile aus Hanf oder Draht, schließlich wurde es von allem etwas, und es war von allem wesentlich mehr als ein bisschen; es ging um meterweise Scherengitter, Dachlatten, eine Kuppel, ein Kreuz, und es ging um Unmengen Stoff.

Wenn du keine Baustelle unter den Fingern hast, bist du einfach nicht glücklich, sagte Fritzi, wenn sie Adam dabei sah, wie er Zeichnungen machte und mit Zahlen vollkritzelte, die alles andere als ein Bauplan waren, und das, was Anatol und Magali kritzelten, war auch alles andere als ein Bauplan, nur Bora hatte eine Vorstellung von der Tragweite des Projekts, und als künftiger Bauingenieur hatte er bei der Planung auch ein Lineal und einen Zirkel zur Hand. Später, nachdem sich die Berge von Holz hinter Fritzis Haus stapelten, die Adam und die Kinder aus dem Wald geholt hatten, war es mit Lineal und Zirkel nicht mehr getan, abwechselnd bekamen

Bora und Anatol Adams Bohrmaschine in die Hand, Bora war derart in die wichtige Arbeit versunken, dass er immer öfter vergaß, sich zu kratzen, und schließlich ganz damit aufhörte, und Anatol verbrannte sich fürchterlich die Finger, weil er im Eifer seiner Arbeit vergessen hatte, dass die Bohrer heiß werden, wenn man mit ihnen Löcher durch die Seitenstangen der künftigen Jurte bohrt.

Was den Filz betraf, hatte keiner von uns eine Ahnung, wo man ihn herbekommen sollte.

Adam sagte, für mich ist Filz das Elend, das übrig bleibt, wenn ein Pullover zu heiß gewaschen wird.

Moment mal, sagte ich, apropos Pullover.

Der Bauer Holzapfel hatte seine Schafe früher von einem Profi scheren lassen, der ihm die Wolle auch gleich entsorgte.

Bis Adam sagte, das ist rausgeschmissenes Geld.

So ein Quatsch, sagte Holzapfel. Wolle lohnt sich nicht. Ist schließlich keine Mikrofaser.

Hier wird keine Wolle mehr weggeschmissen, sagte Adam.

Holzapfel sagte, und das Waschen, Kardieren, Spinnen und alles, will sich etwa einer von euch die ganzen Umstände machen. Am Ende noch Socken stricken. In welchem Jahrhundert leben wir eigentlich?

Adam wusste sehr genau, in welchem Jahrhundert wir lebten. Wir lebten in einem Jahrhundert, das in wenigen Jahren zu Ende sein würde, und dann, so sagte Adam, fangen die finsteren Zeiten erst an, dann wird es nicht mehr sehr lange dauern, bis es gewaltig den Bach runtergeht; aber natürlich hatte keiner von uns Lust auf Wollewaschen, Kardieren und Spinnen. Am Ende noch Socken stricken.

Dennoch begannen Adam und Holzapfel, die Schafe dann selbst zu scheren, die Gotländer zwei Mal im Jahr, die Coburger Füchse und Skudden nur am Anfang des Sommers, einer hielt das Schaf fest, der andere rasierte, und Holzapfel schimpfte, weil er anschließend auf der Wolle saß und nicht wusste, was er damit machen sollte, bis Stephan Wegener eines Tages, bevor wir uns in der Praxis verabschiedeten, kurz aus dem Fenster schaute, die Männer beim Scheren sah und mich fragte, was wir eigentlich mit der ganzen Wolle machen würden. Seither nahm das Gartencenter Wegener dem Bauern Holzapfel einen großen Teil davon ab, und nachdem er verstanden hatte, wozu, fing Holzapfel ebenfalls an, seinen Garten mit Wolle zu düngen und zu mulchen. Eins-a-Dünger, sagte er.

Adam bekam seinen ersten Filz, allerdings zunächst noch nicht von Holzapfels Gotländern, Füchsen und Skudden. Er bekam ihn auf eine seltsame Weise, und er bekommt viele andere Dinge bis heute auf diese seltsame Weise.

An einem der Sommerabende saßen wir bei den

Özyilmaz in ihrem Imbiss und aßen Linsensuppe. Bora unterhielt sich mit seinem Vater am Tresen. Sie sprachen Türkisch, und nachdem sie sich eine Weile unterhalten hatten, mischte sich einer der Gäste in ihr Gespräch, das damit gewissermaßen öffentlich wurde, denn allmählich hatten auch noch andere Gäste etwas dazu beizutragen, und nachdem sie alle immer wieder zu uns hingesehen und lebhaft diskutiert hatten, kam Bora zu uns, setzte sich und teilte uns mit, dass der Schwager eines Gastes den Filz für die Jurte liefern könnte. Aus der Türkei.

So, sagte Adam und wartete.

Aus Afyon.

Herr Özyilmaz und der Gast gingen in den Hinterraum des Imbiss' und riefen offenbar in Afyon an, zunächst hörten wir den Gast, und anschließend sprach Herr Özyilmaz. Das dauerte etwas länger. Als das beendet und sie wieder im Imbiss waren, setzten sie sich auch zu uns, und Herr Özyilmaz schrieb uns auf eine Serviette die Zahl, die unsere Unmengen Filz kosten würden, wenn wir sie bei dem Schwager in Afyon kaufen würden. Es war eine geradezu lächerlich kleine Summe, und am nächsten Tag fuhren Adam und Herr Özyilmaz in die Stadt.

Das war der Hammer, sagte Adam, als er am Abend wieder in Ilmenstett war. Ihr glaubt nicht, was es alles gibt.

Was gibt's denn so alles, sagte Fritzi.

Herr Özyilmaz war mit Adam zu einem Mann gefahren, der im Bahnhofsviertel einen Friseurladen hatte.

Heißt Altan, hatte er im Auto gesagt. Ist Bank.

Dann hatte er Adam einen Zettel gegeben, auf dem ein Passwort stand.

In Altans Laden hatten die drei Männer Tee getrunken.

Anschließend hatte Adam dem Friseur Altan die lächerlich kleine Summe in die Hand gedrückt.

Wie ist das Passwort, hatte Altan gefragt, und Adam hatte das Passwort gesagt, das auf dem kleinen Zettel stand.

Ist gut, hatte der Friseur gesagt und dann mit Afyon telefoniert.

Und jetzt, sagte Fritzi.

Jetzt kommt demnächst der Filz, sagte Massimo, als hätte er in seinem Leben niemals anders Geschäfte getätigt als auf diese Weise.

Telefonischer Geldtransfer, sagte er. Ganz ohne Banken.

Wir saßen bei uns in der Küche, durch die ein Duft nach Knoblauch und Rosmarin zog, Massimo hatte eine Flasche Rotwein aufgemacht.

Ich wette, es funktioniert, sagte Adam.

Keine Ahnung, wovon du sprichst, sagte Fritzi, du drückst einem wildfremden Friseur im Bahnhofsviertel einfach so Geld in die Hand und sagst irgendein Passwort, der telefoniert mal kurz, und dann?

Es funktioniert, sagte Massimo. Es heißt Hawala, und es funktioniert. Ist übrigens nicht legal.

Dachte ich mir, sagte Adam.

Geht es noch ungenauer, sagte Fritzi, was zum Teufel ist Hawala.

Massimo sagte, also noch mal von vorn, an der Sache sind vier Leute beteiligt, Adam, der Friseur, ein zweiter Bankmann in Afyon und der Filzverkäufer. Allmählich dämmerte Fritzi und mir, wovon er sprach. Mit dem Passwort würde der Schwager im fernen Afyon von dem Mann, mit dem der Friseur telefoniert hatte, das Geld für den Filz bekommen, und aus den lächerlich wenigen Mark wären Unsummen türkische Lira geworden.

Phantastisch, sagte Fritzi, aber noch hat dein Friseur die Kohle als Deutschmark in der Hand und nicht der Typ in Afyon die türkischen Drachmen.

Lira, sagte Adam, in der Türkei haben sie keine Drachmen, sondern Lira.

Wenn schon, sagte Fritzi, ganz blicke ich das noch nicht.

Da ist nichts weiter zu blicken, sagte Massimo. Es ist eine Frage des Vertrauens zwischen den beiden Bankiers. Die verrechnen das hinterher.

Und was ist mit den Zinsen, sagte Fritzi.

Adam sagte, Zinsen gibt's keine. Nur eine kleine Gebühr. Eine sehr kleine Gebühr.

Er dachte an seinen Vater, der bei der Bundesbank modrige Scheine und Blüten gezählt hatte, und sagte, das wird den Banken nicht so sehr gut gefallen.

Der Steuer auch nicht, sagte Massimo.

Na dann, prost auf euer Hawala, sagte Fritzi. Wir

stießen auf den illegalen Geldtransfer nach Afyon an, aber Fritzi glaubte nicht, dass das mit dem Vertrauen wirklich funktionieren würde. Vielleicht im Märchen. In Tausendundeiner Nacht. Nicht hier im Abendland.

Ein paar Tage später sah sie es mit eigenen Augen.

Der Schwager in Afyon schickte seinen Verwandten in Deutschland per LKW-Zuladung den Filz für Adams Jurte, und Herr Özyilmaz brachte ihn uns vorbei.

Wir hatten das älteste Untergrundbankwesen der Welt kennengelernt.

So wie es aussieht, sagte Adam zu Bora, als die dicken Filzlagen auf der Sommerwiese ihm endgültig klarmachten, dass das Unterfangen Jurte womöglich seine und die Kräfte der beiden Kinder übersteigen würde, selbst wenn Holzapfel, Massimo und Herr Özyilmaz sich daran gelegentlich beteiligten, so wie es aussieht, können wir noch ein paar Leute und Hände gebrauchen. Allein kriegen wir vier die Jurte wahrscheinlich nicht aufgebaut.

Das ließ Bora sich nicht zweimal sagen, und von da an trudelten im Laufe der Vormittage erst ein paar und schließlich jede Menge Cousins und Cousinen ein, der Gettoblaster lief den ganzen Tag, die Hosen der Jungen hingen in den Kniekehlen, Anatol brauchte dringend eine Baseballkappe, um sie sich umgedreht auf den Kopf zu setzen, und nachdem sie aus dem Urlaub zurück waren, machten die Wegener- und die Grosserjungen auch noch mit.

Holzapfel sah sich die Aktivitäten an.

Jede Menge los bei euch, sagte er anerkennend.

Frau Özyilmaz übernahm die Verpflegung.

Am Ende der Sommerferien stand das Ding, und das hätte es dann gewesen sein können.

War es aber nicht.

Anatols erster Schultag war ein Flop, und was danach kam, war auch nicht besser.

Das Einzige, was ihm gefiel, war der kleine Kompass, den Adam in die Schultüte gepackt hatte, der große Rest dieses und der folgenden Tage war die blanke Enttäuschung.

Bebi, sagte Anatol. Wenn er zornig war, wurden seine Augen so dunkel wie die seines Vaters.

Sie hatten ein Kinderlied gesungen, ein Klassentier erraten und anschließend zeichnen müssen.

Was wohl für ein Tier, sagte Anatol empört, wenn's einen langen Hals hat.

Von Schreiben und Lesen war nicht die Rede gewesen, und dann hatte die Lehrerin die Kinder gefragt, wer bis zehn zählen und ob jemand die Uhr schon könnte.

Bebi, sagte Magali erschüttert.

Als Magali schließlich eingeschult wurde, machte sie sich keine Illusionen mehr.

Also dann, sagte sie seufzend, band sich die Schuhe zu, von denen sie längst wusste, dass man nicht ohne in die Schule darf, setzte den Schulranzen auf, den ihr eine von Boras Cousinen vererbt hatte, und verabschiedete sich von den Katzen, Hühnern, Schafen und Ziegen, als würde sie sie nie mehr wiedersehen.

Als Magali eingeschult wurde, war die Welt längst mittendrin im Tittytainmentprogramm. Fritzi und ich bekamen es mit allerlei neuen Volkskrankheiten zu tun, es waren die Hyperjahre, die Hypermacken, die Jahre der Hyperevents, ein Hype jagte den nächsten bis zur Bewusstlosigkeit, und als Anatols Klassenlehrerin Adam und mich in die Schule bestellte, um uns zu sagen, dass Anatol ihrer Ansicht nach hyperaktiv sei, sagte Adam, so nennt man das jetzt.

Ich sagte, das nennt man jetzt ADS. Kannst du Fritzi fragen.

Adam sagte, das Kind ist einfach nicht ausgelastet. Ein Kind, das mit fünf das Zehnersystem kapiert hat, hält es im Kopf doch nicht aus, wenn es mit sechs in die Schule kommt und plötzlich zweihundert Stunden lang lernen soll, nur noch bis zwanzig zu rechnen.

Da geht's nicht ums Zehnersystem oder Rechnen bis zwanzig, sagte Fritzi, als Adam ihr von Anatols ADS erzählte. Da geht's um etliche Millionen.

Fritzi hatte die neuen Krankheiten satt, mit denen

sie es zu tun bekommen hatte, sie hatte die Vertreter satt, die sie mit Müsterchen, Geschenken und Essenseinladungen traktierten, um ihr all die Benzodiazepine, das Risperidon und das Lorazepam anzudrehen, das bei Adams Mutter noch Mandrax geheißen hatte, Fritzi wollte das nicht, all das Prozac, Fluctin, Ritalin. Fritzi hatte Sehnsucht nach Foucault, den sie nächtelang während des Studiums in ihrem Taxi gelesen hatte und der inzwischen längst tot und vergessen war.

Auch der Bauer Holzapfel war empört, als er hörte, dass Anatol hyperaktiv sein sollte.

Waches Kind hat man früher dazu gesagt, sagte er, und zu Anatol gewandt, da machen wir uns gar nichts draus.

Während Bora, Anatol und Magali in die Schule gingen und dort ihre Zeit absaßen, Dienst nach Vorschrift, waren etliche von Boras Cousins und Cousinen längst draußen und wussten nicht, wohin mit sich. Adam war immer schon draußen gewesen, und von draußen sieht man manches klarer.

Demnächst wird es massenhaft Leute geben, die draußen sind, sagte er, wenn die Cousins und Cousinen auf unserer Streuobstwiese in der nagelneuen Jurte herumhingen und am liebsten über Nacht geblieben wären. Assis, Alte, Arme, die die Hand aufhalten müssten für ein paar Groschen, die frieren würden und ihren Hunger zu wohltätigen Tafeln tragen würden im allgemeinen obszönen Dada der Gewalt, das Adams Mutter nicht ertragen hatte, an dem Adams Mutter aktenkundig durchgeknallt war, weil man daran durchknallen musste, die Krätze kriegen oder sonst was, Adam hatte immer verstanden, dass seine Mutter daran durchgeknallt war. Tut keiner Fliege was zuleide, aber man läuft nun mal nicht im Nachthemd auf die Straße. Findet sich immer jemand, der die Bullen ruft.

Adam sprach eines Abends mit mir und später dann mit Fritzi und Massimo über das, was er vorhatte. Er muss die Idee jahrelang mit sich herumgetragen haben. Den Bauern Holzapfel brauchte er nicht zu überzeugen, Holzapfel wusste, was ein Traum ist, auf seine sechseinhalb Hektar konnten wir zählen.

Die Özyilmaz wussten ebenfalls etwas, dass nämlich Bora von Herrn Leienbecker wohl kaum eine Empfehlung fürs Gymnasium erhalten würde.

Den Ingenieur kann er sich knicken, sagte Herr Özyilmaz, als wir bei ihnen im Imbiss saßen, Tee tranken und die Einzelheiten durchgingen.

Den Ausdruck haben Sie nicht von mir, sagte Adam und musste lachen.

Als ich ins Gartencenter Wegener fuhr, um mit Stephan und seinen Eltern zu sprechen, hatte ich das silberne Kettchen mit der kleinen Rasierklinge an, das Stephan mir geschenkt hatte. Er machte inzwischen eine Gärtnerlehre bei seinen Eltern, und ich bin sicher, Adam hätte die Wegeners im Handumdrehen gewonnen und mitgenommen, aber so dauerte es eine Weile, und nachdem wir uns fast eine Stunde an die Sache herangeredet hatten, kam Frau Wegener mit dem Obi-Markt heraus.

Wenn der sich bei uns im Gewerbegebiet breitmacht, sagte sie, dann gute Nacht.

Stephan sagte, dem Huber hat der Kamps das Messer an den Hals gesetzt.

Da gibt's noch mehrere, denen sie demnächst das Fell über die Löffel ziehen, sagte Frau Wegener.

Ich mochte nicht fragen, wer »sie« seien, aber langsam bekam ich das Gefühl, dass Adam recht hatte.

In Ilmenstett waren wir ein paar Jahre lang so etwas wie Öko-Spinner oder Hinterwäldler. In welchem Jahrhundert leben wir denn.

Stephan Wegener hatte seine ehemalige Lehrerin, Frau Fuchs, mit ins Boot geholt, die längst pensioniert war und sich gern um den Unterricht kümmern würde, zu Hause fiel ihr sowieso nur die Decke auf den Kopf. Frau Grosser nutzte ein paar Kontakte aus ihrer Springturnierzeit und kaufte eine Mecklenburger und eine Schwarzwälder Kaltblutstute.

Gestern wird zu morgen, hatten die Scherben gesungen, Adam nahm die Kutsche in Betrieb und fing an, alles aufzutreiben und zu sammeln, was es in zwanzig Jahren nicht mehr geben würde, wenn die Welt steril geworden wäre, Roundup Ready, Ende der Fahnenstange, steril, verkrüppelt. Nass gerupft. Tiefgekühlt.

Bora fuhr mit seinem Vater und einem älteren Cousin in den folgenden Sommerferien mit Holzapfels altem LP 813 nach Afyon, später fuhr Magali nach Afyon, geil, so ein LP 813. Sie brachten eine Menge Filz mit und nützliche Tipps und Tricks. Wir kauften Schafe und Ziegen. Wir fingen an umzugraben. Frau Özyilmaz baute violette und orangefarbene Auberginen an. Bohnen. Gurken. Kartoffeln. Korn.

Etliche Maler der Transavanguardia und einige Käufer der Transavanguardia stiegen mit ein und brachten uns Samen, von denen Frau Wegener in ihrem Gartencenter nur hatte träumen können.

Die Piennolo-Tomate, sagte sie, die Corbarino, kaum zu glauben. Die Corbarino schmeckt besser als alle Tomaten auf der Welt. Dass es die überhaupt noch gibt. Da bauen sie den Geschmack längst synthetisch nach.

Ilmenstett amüsierte sich eine Weile lang prächtig über das Durcheinander, das bei den Gutmenschen auf der Streuobstwiese ausbrach, über die Jurten, die ersten Versuche mit der Schnapsbrennerei, die Bienenzucht, die Kaninchen, den Ziegenkäse, die Schmiede, die alte Nähmaschine mit dem Pedal daran, weil uns etliches danebenging, aber irgendwann hatten wir den Dreh raus, und danach hagelte es den Ärger, mit dem Adam gerechnet

——

hatte, weil sich immer jemand findet, der die Bullen ruft.

Schwarzarbeit, Kinderarbeit, was weiß ich. Keine Zulassung. Keine Lizenz. Die Kanalisation. Die Europanorm. Der Sortenkatalog. Die Hygiene. Die Sicherheit. Wenn das alle so machen würden.

Deutschland immer Papiere, sagte Herr Özyilmaz. Europa immer Papiere.

Aber da war der Virus schon in der Welt und nicht mehr zu stoppen. Boras Cousins und Cousinen waren nur der Anfang, nach und nach zerstreuten sie sich, hielten Kontakt miteinander, mit Afyon und mit Massimo Centofante.

Massimo war ein sehr guter Virenschreiber, ein großer Sammler und Streuer, die Galerie am Marktplatz wurde zur Anlaufstelle für Leute, die nichts zu verkaufen hatten. Wir hatten auch nichts zu verkaufen, aber alle Köpfe und Hände voll zu tun.

Wir kamen nicht mehr oft dazu, bei Fritzi und Massimo oben in den Fernseher zu schauen und zu verfolgen, wie der Dax nach oben kletterte, Krieg dem Terror, dasselbe in Schwarz-Rot-Grün oder Gelb-Blau-Braun, Hauptsache, mehr vom selben.

Wir waren draußen, und nachdem das neue Jahrhundert angebrochen war, wurden es immer mehr, die rausflogen und draußen waren, Dreher, Hebammen, Schneiderinnen, so geht Monopoly. Ob Wasserwerk oder Südbahnhof, der Gewinner kriegt alles, und der Rest geht nicht über Los, sondern gleich zum Amt. An den Tropf damit, und dann drehen wir denen den Tropf mal schön langsam zu. Nachdem das neue Jahrhundert angebrochen war und die Welt am Tropf hing und im künstlichen Koma lag, so ein Spiel ist das, das in der neuen Zeit gespielt wird, nachdem die Türme zusammengekracht, die Blase geplatzt und die letzten Kriege erklärt, nachdem die Kröten geschluckt und unter Applaus vor den Glotzen die Würmer gefressen waren, ging in Ilmenstett das Abenteuer in die nächste Runde.

In Guntersbach stand der Bauernhof Ebeling kurz vor dem Verkauf.

Uns steht das Wasser bis zum Hals, sagte Frau Ebeling, neun Hektar Grünland, zwei Hektar Acker und zehn Hektar Wald. Davon kann man heute nicht leben. Nicht mit drei Kindern. Kann man verhungern dran.

Das lässt sich ändern, sagte Adam.

Das Wasser stand etlichen Bauern bis zum Hals, aus vielen Äckern, Feldern, Wiesen und Wäldern würden bald tote Böden. Roundup Ready. Gift in Raten.

Da kannst du die Flasche auch gleich an den Hals setzen, dann hast du's wenigstens schnell hinter dich gebracht, sagte Adam.

Massimo knüpfte Netze nach Frankreich, nach England, nach Indien, ihr werdet euch noch wundern, was solche Leute können, Leute mit Kopf und Hand, dachte ich, wenn wieder irgendwo ein Basislager entstand, wenn sich wieder ein paar vom Tropf, von der Tafel, vom Strick um den Hals losmachten, ich bin nicht faul, ich bin nicht dumm, etwas Mühe und Ärger wirft mich nicht um, und natürlich war es ziemliche Mühe und gab es massenhaft Ärger, wo kämen wir hin, wenn jeder sein Streuobst, sein Saatgut, seinen Samen und das, was er nach der ganzen Verblödung noch weiß, das Menschenwissen aus zehntausend Jahren kann doch nicht einfach verschwunden sein, aber wo kämen wir hin, wenn wir das einfach so weitergäben. So wie der Bauer Holzapfel. So wie Adam Czupek. Nur zum Beispiel.

Geschenkt. Getauscht.

Und wenn das aufginge?

PIPER

Birgit Vanderbeke
Gebrauchsanweisung für Südfrankreich

174 Seiten. Gebunden

Pont du Gard, pittoreske Natursteinhäuser und blühender
Lavendel, das ist Südfrankreich. Nicht ganz. Denn wußten
Sie beispielsweise, daß »Gekochtes Wasser« zu den Spezia-
litäten der provençalischen Küche gehört? Daß sich die
meisten Bewohner dieses Landstrichs seit Jahrhunderten
weigern, an die Zentrale in Paris Steuern zu entrichten?
Oder daß noch immer ein Konfessionsstreit über den
Erfinder der schmackhaften Cassoulet geführt wird?
Mit genauem Blick und der ihr eigenen feinen Ironie
schreibt Birgit Vanderbeke über die Leute im Süden Frankreichs, über ihren Eigensinn und ihre Fahrkünste, über
Trüffelmärkte und den Ramadan in Marseille. Eine Liebes-
erklärung an eine der wundervollsten und zugleich vielfäl-
tigsten Regionen Frankreichs.

01/1122/01/R

Birgit Vanderbeke
Das Muschelessen
112 Seiten. Piper Taschenbuch

Angespannt wartet die Familie am gedeckten Tisch auf den Vater. Mutter, Tochter und Sohn sitzen vor einem Berg Muscheln, die allein das Oberhaupt der Familie gerne isst. Um die zähe Wartezeit zu überbrücken, beginnen sie miteinander zu reden. Je mehr sich der Vater verspätet, desto offener wird das Gespräch, desto umbarmherziger der Blick auf den autoritären Patriarchen und desto tiefer der Riss, der die scheinbare Familienidylle schließlich zu zerstören droht.

»Birgit Vanderbeke zeichnet in diesem literarischen Debüt, das ihr den Ingeborg-Bachmann-Preis eintrug, ihren maschinenhaft kalkulierenden ›Helden‹ mit eisiger Genauigkeit.«
Der Spiegel

Birgit Vanderbeke
Friedliche Zeiten
144 Seiten. Piper Taschenbuch

Es herrscht Krieg in der kleinen Vorstadtwohnung im Deutschland der Sechziger. Die Mutter hat immer Angst und tyrannisiert die Familie. Wenn der Vater abends ausgeht, will sie sterben. Nur die Kinder bewahren einen kühlen Kopf und überlegen im Bett, wie sich das verhindern ließe. Das und der dritte Weltkrieg.

»Birgit Vanderbeke bezaubert durch Sprachwitz und stilistische Eleganz.«
Süddeutsche Zeitung

Alissa Walser

Am Anfang war die Nacht Musik

Roman. 256 Seiten.
Piper Taschenbuch

Wien, 1777. Franz Anton Mesmer, der wohl berühmteste Arzt seiner Zeit, soll das Wunderkind Maria Theresia Paradis heilen, eine blinde Pianistin und Sängerin. In ihrer hochmusikalischen Sprache nimmt Alissa Walser uns mit auf eine einzigartige literarische Reise. Ein Roman von bestrickender Schönheit über Krankheit und Gesundheit, über Musik und Wissenschaft, über die fünf Sinne, über Männer und Frauen oder ganz einfach über das Menschsein.

Alissa Walser

Dies ist nicht meine ganze Geschichte

Roman. 112 Seiten.
Piper Taschenbuch

Eine junge Frau steht in allen Geschichten im Mittelpunkt. Sie trifft sich heimlich mit ihrem Geliebten im Hotel. Sie arbeitet als Fotomodell. Sie kauft sich einen Liebhaber. Sie lernt am Flughafen den schönsten Mann ihres Lebens kennen und erzählt ihm ihre Phantasien. Sie verschwindet mit ihrem Geliebten von dessen Hochzeitsfeier. Alissa Walser erzählt von ebenso heftigen wie flüchtigen Liebesbegegnungen, denen die Melancholie der Vergeblichkeit anhaftet.

»Alissa Walser kann erzählen.«
Die Zeit

05/2685/01/L   05/2614/01/R

Thommie Bayer

Fallers große Liebe

Roman. 208 Seiten.
Piper Taschenbuch

Eines Tages steht der unergründliche Faller im Laden des jungen Antiquars Alexander. Er überredet ihn, mitzukommen auf eine Reise, deren Ziel Faller nicht preisgeben will. Gemeinsam suchen sie schließlich die Antwort auf eine der schwierigsten Fragen: Was ist schlimmer, die Liebe seines Lebens zu verlieren oder sie nie zu finden?

»Thommie Bayer beschreibt ein scheu beginnendes Männergespräch mit überraschender Schlusspointe … Man sitzt lesend mit im Jaguar und fühlt sich bestens unterhalten.«
Hamburger Abendblatt

Andreas Steinhöfel

Die Mitte der Welt

Roman. 464 Seiten.
Piper Taschenbuch

Was immer ein normales Leben auch sein mag – der 17-jährige Phil hat es nie kennengelernt. Denn so ungewöhnlich wie das alte Haus, in dem er lebt, so ungewöhnlich sind auch die Menschen, die dort ein- und ausgehen: seine chaotische Mutter Glass, seine verschlossene Zwillingsschwester Dianne. Und dann ist da noch Nicholas, der Unerreichbare, in den Phil sich unsterblich verliebt hat …

»Andreas Steinhöfel hat einen grandiosen Entwicklungs- und Familienroman von großer literarischer Komplexität und Innerlichkeit geschrieben.«
Der Tagesspiegel

»Jedes Kapitel hält dieses geheimnisvolle Gleichgewicht zwischen der Neugierde auf den Schluss und dem Genießen des Augenblicks.«
Die Zeit

05/2686/01/L   05/2363/01/R

Maarten 't Hart

Der Flieger

Roman. 304 Seiten.
Piper Taschenbuch

Als gewissenhafter protestantischer Grabmacher hat man es schwer: Erst soll man dieses lächerliche Kreuz aufstellen, dann wird man von den »Katholen« gebeten, tausend Tote umzubetten, und obendrein bekommt man den bauernschlauen Ginus zur Seite gestellt, der sich nichts als Feinde macht. Ebenso schwierig aber ist es, der Sohn dieses höchst eigensinnigen Totengräbers zu sein – vor allem wenn man unerwidert in ein Mädchen aus der Nachbarschaft verliebt ist …

»Maarten 't Hart schreibt so wunderbar skurril, theologisch versiert und zutiefst menschlich über das calvinistisch geprägte Holland – und vor allem deshalb, weil es die Welt seines Vaters war.«
NDR Kultur

»Vergnüglich, klug, ein wenig boshaft und sehr schön erzählt.«
Buchkultur

Joel Haahtela

Der Schmetterlings-sammler

Roman. Aus dem Finnischen
von Sandra Doyen. 176 Seiten.
Piper Taschenbuch

»Am dritten April wurde mir in einem Schreiben mitgeteilt, dass ich eine Erbschaft gemacht hatte. Ich las den Brief wieder und wieder und war mir sicher, keinen Mann namens Henri Ruzicka zu kennen.« Wer ist der Fremde, der ihm das Haus mit der erstaunlichen Schmetterlingssammlung hinterlässt? Und welches Geheimnis verbindet den Erzähler mit ihm? Ein Roman, so schillernd und geheimnisvoll wie ein Schmetterling.

»Dem Finnen Joel Haahtela ist ein wunderschöner, malerischer Roman gelungen, hintergründig und voller Sensibilität für seine Figuren.«
Neue Presse, Hannover

05/2458/01/L   05/2431/02/R

Harold Cobert

Ein Winter mit Baudelaire

Roman. Aus dem Französischen von Sabine Schwenk. 288 Seiten. Piper Taschenbuch

Es wird Herbst in Paris, als Philippe den Boden unter den Füßen verliert. Nach der Trennung von seiner Frau muss er die gemeinsame Wohnung verlassen, und der Kontakt zur Tochter wird ihm verwehrt. Als wenig später sein Arbeitsvertrag nicht verlängert wird, ist das der letzte Schritt, der ihn in den Abgrund stürzen lässt. Das Leben auf der Straße droht, ihm den Rest seiner Würde zu nehmen. Doch dann begegnet er Baudelaire, der ihn – mit beständigem Optimismus und treuem Hundeblick – auf vier Pfoten zurück ins Leben führt, ihm den Mut für einen Neuanfang gibt. Und auf einmal scheint der Tag, an dem er seine Tochter wieder in die Arme schließen kann, gar nicht mehr so fern ...

Carole Martinez

Das Blau des Himmels zur Mittagsstunde

Roman. Aus dem Französischen von Helene Greubel. 432 Seiten. Piper Taschenbuch

Ein unscheinbares Nähkästchen eröffnet der jungen Frasquita eine völlig neue Welt. Mit den leuchtend bunten Garnen näht und stickt sie wunderbare Dinge, die das Leben der Menschen in dem abgelegenen südspanischen Dorf mit Magie erfüllen. Doch als sie selbst eines Tages in einem Aufsehen erregenden Hochzeitskleid zur Kirche schreitet, erntet sie damit nur Neid und Missgunst. Und so beschließt sie irgendwann, der Enge ihrer Heimat zu entfliehen, und bricht auf zu einer langen Reise durch den trockenen Süden in Richtung Meer ...

»Martinez' Stil ist voller mächtiger Bilder, von einer großen poetischen Stärke und einer erschütternden Wahrheit.«
Le Monde des Livres

»Magisch.«
Joy

05/2696/01/L 05/2641/01/R